GARGANTUA
PANTAGRUEL

LIVRE II

extraits

M. D. XXXVII.

GARGANTUA ET SA FAMILLE
d'après une image populaire (1537).

CLASSIQUES LAROUSSE

Fondés par
FÉLIX GUIRAND
Agrégé des Lettres

Dirigés par
LÉON LEJEALLE
Agrégé des Lettres

RABELAIS

GARGANTUA
PANTAGRUEL
LIVRE II

extraits

avec une Notice biographique, une Notice historique
et littéraire, des Notes explicatives, des Jugements,
un Questionnaire et des Sujets de devoirs,

par

CHAPPON et PONS
Agrégés des Lettres

LIBRAIRIE LAROUSSE ● PARIS VI

17, rue du Montparnasse, et boulevard Raspail, 114
Succursale : 58, rue des Écoles (Sorbonne)

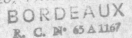

RABELAIS ET SON TEMPS

	LA VIE ET L'ŒUVRE DE RABELAIS	LE MOUVEMENT INTELLECTUEL ET ARTISTIQUE	LES ÉVÉNEMENTS POLITIQUES
1494	(Date probable.) Naissance de François Rabelais à la Devinière, près de Chinon.		Début des guerres d'Italie : première expédition de Charles VIII. Naissance de François Ier.
1511	(Date probable.) Entrée au couvent des cordeliers de Fontenay-le-Comte. Correspondance avec G. Budé.	Érasme : De ratione studii. Lemaire de Belges : De la différence des schismes et des conciles.	Le pape Jules II et la Sainte Ligue contre Louis XII.
1520	Moine à Fontenay-le-Comte.	Machiavel : la Mandragore. L'Arioste : le Nécromancien. Début de la construction du château de Chambord.	Entrevue du Camp du drap d'or. La flotte de Magellan accomplit pour la première fois le tour du monde. Excommunication de Luther.
1525	Autorisation pontificale de passer chez les bénédictins de Maillezais.	Traduction du Nouveau Testament de Tindale en Angleterre.	Défaite de Pavie. François Ier prisonnier à Madrid.
1528	Premier séjour à Paris.	Érasme : Ciceronianus, Ph. de Commines : Chronique de Charles VIII. Embellissements du Louvre. Début des travaux au château de Fontainebleau.	Clément VII fait enquêter sur le divorce d'Henri VIII d'Angleterre.
1530	Abandon de la vie monacale. Études de médecine à Paris et à Montpellier.	G. Budé : De philologia. Th. Wyatt écrit les premiers sonnets en anglais.	Diète et Confession d'Augsbourg.
1532	Médecin à l'hôtel-Dieu de Lyon.	Cl. Marot : l'Adolescence clémentine. Lefèvre d'Étaples : traduction de la Bible. R. Estienne : Thesaurus linguae latinae. L'Arioste : Roland furieux.	Annexion définitive de la Bretagne à la France. Prise de Florence par les Impériaux.

1534	Premier voyage à Rome avec Jean Du Bellay. *Gargantua*.	Luther : Bible allemande complète. Marot à Nérac chez Marguerite de Navarre. Michel-Ange : fresques de la chapelle Sixtine. Le Primatice, le Rosso, Benvenuto Cellini décorent Fontainebleau.	Affaire des placards (18 oct.). Schisme anglican. Fondation de l'ordre des jésuites par Ignace de Loyola. Jacques Cartier atteint le Canada par le Saint-Laurent.
1535	Deuxième voyage en Italie avec Jean Du Bellay.	Édits royaux réglementant l'imprimerie. Exil de Marot à Ferrare.	Alliance avec les Turcs. Établissement des Espagnols sur la Plata, au Pérou, au Chili.
1537	Licencié et docteur en médecine. Enseignement donné à Lyon et à Montpellier.	L. de Baïf : traduction d'*Électre* de Sophocle. Première Bible anglaise complète.	Annexion de la Norvège au royaume de Danemark. Trêve de Moncon entre Charles Quint et François Ier.
1540	Séjour à Turin, puis à Chambéry.	Ignace de Loyola : *Constitutions* des jésuites.	Paul III approuve le statut des jésuites.
1546	*Le Tiers Livre*. Censure de l'ouvrage. Exil à Metz; exercice de la médecine à Lyon.	Mort de Luther. Supplice d'E. Dolet. Mélanchton : *Vie de Luther*. P. Lescot commence le nouveau Louvre.	Guerre de Charles Quint contre la ligue de Smalkalde (princes protestants).
1551	Curé de Meudon.	Pontus de Tyard : *Erreurs amoureuses*. Th. de Bèze : 37 *Psaumes* en vers.	Cinquième guerre entre la France et Charles Quint.
1552	*Le Quart Livre*. Condamnation du livre par le parlement.	Ronsard *Amours* (de Cassandre).	Alliance des princes protestants et de Henri II.
1553	Mort de Rabelais à Paris.	J. Du Bellay à Rome. Camoëns part pour les Indes orientales.	Avènement de Marie Tudor. Les Trois-Evêchés (Metz, Toul, Verdun) occupés par Henri II.

RÉSUMÉ CHRONOLOGIQUE DE LA VIE DE RABELAIS

(1494-1553)

1494 (date probable). — Naissance de François Rabelais à la Devinière, près de Chinon, fils de l'avocat Antoine Rabelais.

1511 (date probable). — François Rabelais entre au couvent des cordeliers de Fontenay-le-Comte. Il est ordonné prêtre. Il correspond avec l'helléniste Budé.

1525 (environ). — Rabelais, persécuté par les moines de son ordre, obtient du pape l'autorisation de passer dans un couvent de bénédictins à Maillezais.

1528 (environ). — Rabelais séjourne à Paris et commence peut-être des études de médecine.

1530. — Rabelais, en habit de prêtre séculier, arrive à Montpellier pour y prendre ses grades en médecine. Il est reçu bachelier en médecine et fait un cours sur Hippocrate et sur Galien.

1532. — Premier séjour à Lyon. Sous le pseudonyme d'Alcofribas Nasier, Rabelais publie *Pantagruel, roi des Dipsodes*. Il est nommé médecin de l'Hôtel-Dieu.

1534. — Rabelais accompagne à Rome le prélat Jean Du Bellay. Mise en vente à Lyon de *la Vie très horrifique du grand Gargantua, père de Pantagruel*.

1535. — Rabelais est obligé de quitter Lyon et de se cacher. Jean Du Bellay, nommé cardinal, l'emmène de nouveau à Rome.

1536. — Le pape accorde à Rabelais l'absolution de la faute qu'il avait commise en quittant son couvent. Rabelais entre comme chanoine au chapitre de Saint-Maur-les-Fossés.

1537. — A Montpellier, Rabelais prend les grades de licencié et de docteur en médecine. Il professe la médecine à Lyon et à Montpellier.

1540. — Séjour à Turin, puis à Chambéry. Rabelais accompagne en Italie Guillaume Du Bellay, sieur de Langey, gouverneur du Piémont.

1543 (environ). — Rabelais, nommé maître des requêtes, accompagne la cour.

1546. — *Tiers Livre des faictz et dictz héroïques du bon Pantagruel*. Censure de cet ouvrage par la faculté de théologie. Rabelais s'enfuit à Metz, où il devient médecin de la ville.

1547. — Séjour à Rome auprès du cardinal Du Bellay.

1548. — Publication partielle à Lyon du *Quart Livre des faictz et dictz héroïques du noble Pantagruel*.

1551. — Rabelais reçoit la cure de Saint-Martin de Meudon. Il fait exercer ses fonctions par un vicaire.

1552. — Publication à Paris du *Quart Livre des faictz et dictz héroïques du bon Pantagruel*. Condamnation du livre par le Parlement.

1553 (avril). — Mort de Rabelais à Paris.

1562. — *L'Ile Sonnante* : seize chapitres du *Cinquième Livre*.

1564. — *Le Cinquième Livre* (en entier).

Rabelais a, probablement, deux ans de plus que Marot, vingt-huit ans de plus que Joachim du Bellay, trente ans de plus que Ronsard, trente-neuf ans de plus que Montaigne.

GARGANTUA - PANTAGRUEL

INTRODUCTION

Ce qui se passait entre 1532 et 1534. — EN POLITIQUE : *En France, François Ier règne depuis 1515. Réunion définitive de la Bretagne et de la France. Établissement des rentes perpétuelles. Mariage du futur Henri II avec Catherine de Médicis. Préparatifs de la troisième guerre contre Charles Quint. — En Angleterre, Henri VIII épouse Anne de Boleyn ; il est excommunié par le pape. En Allemagne, Luther publie la traduction complète de la Bible ; les princes protestants s'unissent par la ligue de Smalkalde. Genève adopte la Réforme. Des placards protestants sont affichés au château d'Amboise (19 octobre 1534). A Montmartre, Ignace de Loyola fonde l'ordre des jésuites. — François Pizarre débarque au Pérou et entreprend la conquête de ce pays. Jacques Cartier explore le Canada.*

DANS LES ARTS : *Mort du Corrège, à Coreggio, près de Modène. Michel-Ange est appelé à Rome par le pape Clément VII pour achever la décoration de la chapelle Sixtine. Travaux d'orfèvrerie de Benvenuto Cellini, à Rome. Le Titien, à Venise (portraits de Charles Quint, de François Ier, etc.). — Holbein le jeune, d'Augsbourg, s'établit en Angleterre. Tableaux de Lucas Cranach à Wittenberg — Le Primatice est appelé par François Ier pour décorer le château de Fontainebleau. Jehan II Clouet, peintre du roi. Sculptures de Jean Cousin. — L'Hôtel de Ville de Paris est commencé en 1533. François Ier acquiert le château de Chenonceaux. Achèvement d'une des façades du château de Lude. Construction de l'église Saint-Eustache de Paris. — Musique chorale de Janequin et de Goudimel.*

EN LITTÉRATURE : *Premières éditions d'Aristophane, de Diogène Laërce, d'Euclide. Robert Estienne fait paraître en un volume son* Thesaurus linguae latinae. *Œuvres latines de Vivès, de Budé, de Jean Second. Derniers ouvrages d'Érasme. — Marot publie l'Adolescence clémentine ; en 1534, il se réfugie à Nérac chez Marguerite de Navarre. — Luigi Alamanni dédie à François Ier ses* Opere Toscane. *L'Arétin écrit des comédies et ses* Ragionamenti.

Le plan et l'unité. — Cette œuvre, écrite au cours d'une vingtaine d'années, n'est pas du tout un monument construit d'après un plan exact et harmonieux. Tout d'abord, Rabelais n'en a pas eu une vue d'ensemble. Sans savoir jusqu'où il irait, peut-être même avec l'intention de s'y arrêter, il écrivit le premier livre de *Pantagruel ;* après la vie du fils, il raconta celle du père, Gargantua, pour revenir à Pantagruel douze ans plus tard. A partir du troisième livre, le dessein se fait plus précis : la question du mariage, posée par Panurge (liv. III), entraîne les pantagruélistes en des navigations extraordinaires (liv. IV), qui aboutissent à l'oracle de la Dive Bouteille (liv. V). Le voyage du quatrième livre est annoncé à la fin du deuxième et préparé à la fin du troisième ; le quatrième livre est étroitement rattaché au troisième (« Le nombre des navires fut tel que vous ai exposé au Tiers Livre. »), mais le troisième n'est qu'une longue parenthèse, et l'itinéraire a été modifié entre le deuxième et le quatrième.

Le caractère de l'ouvrage est aussi peu assuré : le premier et le deuxième livres racontent des aventures tantôt gigantesques, tantôt réduites à la mesure humaine ; le troisième délaisse le merveilleux, « fait un pas vers la comédie de caractères et vers la comédie de mœurs » (P. Villey), pour traiter une question — le mariage — sans rapport avec les premiers livres ; le quatrième retrouve le ton de l'épopée pour retracer, cette fois, un voyage où, à travers l'allégorie, Abel Lefranc reconnaît « le tableau exact et concret d'un périple maritime bien défini » ; le cinquième livre est une allégorie où sont repris les principaux thèmes des quatre autres, ce qui, il est vrai, peut être un argument contre son authenticité.

A l'intérieur de chaque livre, on peut reconnaître une certaine unité, un ou deux épisodes principaux autour desquels sont groupés des épisodes secondaires. Le premier livre est l'histoire de Gargantua : sa naissance, ses éducations successives, son séjour à Paris, son rôle dans la guerre picrocholine, sa conception d'une abbaye singulière destinée à récompenser frère Jean après la victoire. Rabelais suit à peu près dans le *Gargantua* le plan du premier livre de *Pantagruel* (liv. II), où il racontait l'enfance de Pantagruel, son éducation, son séjour à Paris mêlé de préoccupations graves et de bouffonneries, sa guerre victorieuse contre les Dipsodes. Le Tiers Livre est constitué par la grande enquête de Panurge sur le mariage, précédée de dissertations sur les dettes et les gens de guerre et suivie par le chant à la gloire du pantagruélion. Le Quart Livre et le Livre V sont une suite de voyages et d'aventures qui aboutissent à la Dive Bouteille.

Mais chacun de ces livres traite, à vrai dire, plusieurs sujets de caractère différent, et comprend des anecdotes, des inventaires, des dissertations, des dialogues, des discussions, qui ralentissent l'allure du récit et en rendent le dessein général peu net.

Les personnages montrent la même incohérence par la façon dont ils apparaissent ou disparaissent, et dans leur caractère. Panurge, et, plus ou moins directement intéressé à l'action, Pantagruel, mènent le jeu à partir du Livre II. Mais Gargantua, enlevé par la fée Morgane au Livre II, est revenu dans le Tiers Livre et au début du Quart Livre. Frère Jean des Entommeures, qui occupe une place privilégiée dans le Livre Ier et tient bien son rôle dans les livres suivants, est absent du Livre II. Grandgousier est tantôt un roi, tantôt un brave paysan; le géant Gargantua reprend souvent des proportions humaines. Frère Jean est un mélange de l'idéal de Rabelais et des vices qu'il reproche aux moines. Panurge, la création la plus étonnante de l'œuvre, audacieux et rusé à la façon d'Ulysse au Livre II quand il dirige la lutte contre les chevaliers[1], devient soudain poltron, dans le Tiers Livre, au cours de la tempête, pour garder jusqu'à la fin son nouveau caractère de couardise et de vantardise (quand il entend les paroles dégelées[2], quand frère Jean fait tirer le canon pour saluer les Muses[3], quand il descend au temple de la Bouteille[4]). Pantagruel, être sans dignité, préoccupé surtout de boire, présenté au Tiers Livre comme « le meilleur petit et grand bonhomet[5] », devient peu à peu un type supérieur d'humanité, symbole de l'équilibre moral.

L'art multiple de Rabelais. — L'art de Rabelais ne saurait être enfermé dans une formule. Le seul terme qui le caractérise est celui-là même qui marque l'affranchissement de toute règle, le débordement hors de toutes limites : il est l'énormité, si l'énormité n'exclut pas la finesse. C'est le jaillissement d'un génie multiple pressé de tout dire, et de toutes les façons, à une époque ivre de science et de pensée. On y trouve mêlés tous les genres littéraires, toutes les sortes d'inspiration, tous les tons. Cette œuvre immense qui, si on la considère en son ensemble, se déroule à la façon d'une épopée, offre des récits proprement épiques — une *Iliade* (guerre picrocholine[6]), une *Odyssée* (navigations de Pantagruel[7]) —; des parodies d'épopées (guerre contre les Andouilles[8]); de la satire; de la comédie (Panurge et les moutons de Dindenault[9]); des anecdotes; des compilations; des lettres; des discours; des argumentations. On cherche dans Rabelais l'écrivain réaliste, et on a raison; mais il est au moins aussi juste de voir en lui le poète. On parle toujours du rire de Rabelais : ses éclats réveilleraient en effet des sourds; mais ils ne doivent pas empêcher de peser la gravité de certaines pages et parfois même d'en sentir l'âpreté.

Le réalisme. — Le réalisme de Rabelais est de plusieurs sortes. Il donne une place importante aux parties basses de la réalité, sans aucune fausse honte, avec la franchise d'un humaniste qui ne méprise rien de l'homme, d'un médecin pour qui la nature ne saurait être répugnante. Il situe son roman dans le Chinonais, à Paris, ou à travers des pays aux noms fantaisistes que la sagacité des

1. Chap. xxv; 2. Livre IV, chap. lv; 3. Livre IV, chap. lxvi; 4. Livre V, chap. xxxvi; 5. Chap. ii; 6. Livre Ier; 7. Livres IV et V; 8. Livre IV; 9. Livre IV.

critiques parvient peu à peu à identifier. Il emprunte un grand nombre de données aux événements contemporains, que ce soit la guerre picrocholine ou la satire des Décrétales. Il peint avec vérité certains caractères (Grandgousier, le propriétaire campagnard, Gargantua, le roi de la Renaissance, aussi bon chevalier que lettré), ou des scènes de la vie paysanne (querelle des fouaciers et des bergers), de la vie monastique, de la vie des écoles.

L'érudition. — Rabelais complète l'observation du réel par l'érudition la plus vaste. Étienne Pasquier écrivait, en 1611, dans *Recherches de la France :* « Par la force de son esprit et de ses longs travaux, Rabelais s'acquit une polymathie que peu d'hommes ont possédée ; car il est certain qu'il fut très savant humaniste et très profond philosophe, théologien, mathématicien, médecin, juris-consulte, musicien, arithméticien, géomètre, astronome... » Sans doute, il ne connaissait, en fait de langues, que le grec, le latin et l'italien, avec une teinture d'hébreu. Mais, même si l'on fait la part de l'érudition qu'il trouvait tout acquise en des recueils de sentences et d'anecdotes, son œuvre suppose un nombre considérable de lectures, anciennes ou modernes, depuis l'*Histoire naturelle* de Pline jusqu'aux relations du voyage de Jacques Cartier, un amas énorme de connaissances encyclopédiques, qui tantôt donnent à la fiction un fond solide et nourrissant, et tantôt l'encombrent avec indiscrétion. Si on peut lui reprocher d'étaler son érudition en des énumérations et des citations souvent lourdes et déplacées (on ne sait d'ailleurs pas toujours si elles sont du pédantisme, ou un procédé bouffon), il est plus intéressant d'admirer l'habileté avec laquelle il fond ses emprunts, les condense ou les développe, en fait sa chair et son sang : des cinq livres consacrés dans *Panurge disciple de Pantagruel* au géant Bringuenarilles, il ne garde (Quart Livre) que les traits essentiels. L'épisode des Andouilles, qui occu-pait deux chapitres dans le même *Disciple*, s'enfle jusqu'à huit chapitres. Celui des Lanternes est inspiré à la fois par l'*Histoire vraie* de Lucien (IIe siècle après J.-C.) et le *Disciple* (1538). Car ce qui domine en Rabelais, ce peintre de la réalité, cet érudit, c'est l'imagination du poète (un procès de bateliers devient la guerre picrocholine). Dès le XVIIe siècle, Colletet eut le mérite de recon-naître cet aspect de son génie, et Brunetière, au début du XXe, ne trouve qu'un mot pour définir son œuvre — celui de « poème ».

La poésie. — Le plan, de l'œuvre entière comme de chaque livre en particulier, évoque à lui seul l'idée d'un poème où l'imagination se donne libre essor : l'écrivain abandonne la route droite et nette de la logique, se laisse emporter par les images qui se lèvent, par ses sentiments — enthousiasme, rancune —, ses instincts — besoin de rire, besoin de conter —, suit, dans sa phrase, son couplet, son cha-pitre, son livre, un rythme intérieur capricieux, incompréhensible pour la raison, mais qui satisfait par son élan et confère tout de même à l'œuvre une certaine unité.

L'allégorie, si froide qu'elle soit, marque une attitude poétique en ce qu'elle transpose sur le plan humain des abstractions. Employée dans le *Quart Livre* à exprimer l'opposition de la Nature et de l'anti-Nature[1], ou la contribution de l'estomac au progrès de la civilisation[2], elle occupe, peut-être sous l'influence croissante du *Songe de Poliphile*, une très grande place dans le cinquième livre, en particulier avec les épisodes de l'*Ile Sonnante*, des Chats-fourrés, du royaume de Quinte, et de cette Dive Bouteille, source de toute sagesse.

La poésie, c'est plus encore la fantaisie. La fantaisie dans le mélange de la réalité et de l'imagination, comme en ces contes où les géants, vêtus d'étoffe mesurée à un quartier près, tour à tour abattent un château avec un arbre, abritent une armée sous leur langue, ou retrouvent les soucis, les pensées, le rire et les larmes de la plus humble humanité. La fantaisie dans la verve, qui développe à fond une trouvaille heureuse, comme dans le récit de la naissance et du développement des procès[3], dans l'hymne au pantagruélion[4], dans la célébration des Décrétales[5] ou de messer Gaster, « premier mestre ès arts du monde[6] », et, peut-être surtout, dans ces chapitres éblouissants où Panurge, pour justifier ses propres dettes, explique l'harmonie de l'univers par un commerce de prêts[7]. La grossièreté même des images et des mots, qui rebute parfois les lectrices (ce n'est pas pour elles qu'il écrivait, et d'ailleurs la pruderie n'était pas à cette époque toute-puissante), atteint chez Rabelais à la poésie par son jaillissement de feu d'artifice et son énormité. Quand on la supprime ou l'atténue, l'œuvre en reste décolorée, sinon gravement mutilée.

Comme le poète, Rabelais est un orfèvre en mots. Il en crée pour surprendre l'oreille ou pour mieux accorder la pensée et le son ; grisé lui-même, il les aligne en des énumérations étourdissantes, pour le plaisir de rapprocher leurs sonorités, de les harmoniser ou de les entre-choquer. Nul, sinon Hugo, ne tirera plus riche parti du mot, considéré en lui-même, pour sa valeur propre, hors de son sens.

Le comique et l'esprit. — Dans ses Prologues, Rabelais présente volontiers son roman comme destiné à réconforter les goutteux et autres malades par le rire : remède efficace, mais digne aussi de l'esprit humain, puisque « rire est le propre de l'homme ». Comme à Molière, parfois blâmé des délicats — mais sans mesure, car rien à cette époque, ni règles littéraires ni préceptes du bon goût, n'endigue les débordements de sa folle humeur —, tous les moyens

1. Chap. xxxii ; 2. Chap. lxi ; 3. Livre III, chap. xxxix ; 4. Livre III, chap. xlviii ; 5. Livre IV, chap. li-liii ; 6. Livre IV, chap. lxi ; 7. Livre III, chap. iii-iv.

lui sont bons. Il utilise toutes les formes du comique, les plus grossières et les plus fines.

Le comique peut naître de la peinture exacte ou de la caricature de la vie. Il reproduit, d'après la réalité, une querelle de paysans, leurs politesses et leurs insultes, leur langage imagé[1]. Il oppose deux traits de caractère : la terreur de Panurge[2] au cours de la tempête, sa vantardise une fois la mer apaisée. Il schématise la lutte de deux sentiments contradictoires : le deuil et la joie de Gargantua devant sa femme morte et son fils nouveau-né[3]. Il pousse jusqu'au grotesque la caricature : la harangue de Janotus de Bragmardo[4]. Il fait vivre ensemble, hors de l'humanité, pour les étudier à l'état pur et mieux faire ressortir leurs ridicules, une catégorie d'individus présentant la même déformation : les Chicanous[5], les Papimanes[6].

L'esprit tient une grande place dans le comique de Rabelais. Il affectionne les devinettes (« Un synonyme de jambon ?... C'est un poulain. Par le poulain[7], on descend le vin en cave, par le jambon, en l'estomac[8] »), et les jeux de mots (« Le grand Dieu fit les planètes et nous faisons les plats nets[9] » ; « *Venite apotemis*[10] » ; « De vin divin on devient[11]. » Le chapitre des Alliances, au Livre IV[12], est une suite étonnante de jeux de mots). Il rend à la métaphore son sens exact : si, dans les îles de Tohu et de Bohu, l'île déserte et l'île inculte, Pantagruel et ses compagnons « ne trouvent que frire » (au sens imagé, rien à gagner, d'après Richelet), c'est qu'un géant a avalé tous les ustensiles qui servent à frire[13]. Ses images sont inattendues : « Il n'y a rabouillère en mon corps où cestui vin ne furette la soif[14]. » Comme ses personnages (Gargantua laisse Janotus de Bragmardo réclamer les cloches qu'il a déjà rendues[15]), il aime berner, mais c'est le lecteur qui cette fois est la victime : il mystifie son lecteur dès le Prologue de *Gargantua*, quand, après l'avoir invité à chercher des pensées profondes derrière la fiction, il se moque de ceux qui prétendent interpréter Homère. Il le mystifie tout au long du roman, quand il farde des couleurs de la vérité et du sérieux la fantaisie du récit ou de l'argumentation : à propos d'un fait extraordinaire, il donne tant de précisions, il mesure ou compte si exactement que nous aurions mauvaise grâce à ne pas le croire sur parole, ou il prend à témoin toute l'Antiquité. Il construit, suivant les règles de la dialectique la plus savante, un raisonnement déplacé, soit que les circonstances ne laissent réellement pas le loisir d'argumenter (au plus fort de la tempête, Épistémon expose à Panurge pourquoi il est inutile de faire un testament[16]), soit que

1. Livre Ier, chap. XXV; 2. Livre IV, chap. XIX et sqq.; 3. Livre II, chap. III; 4. Livre Ier, chap. XIX; 5. Livre IV, chap. XII et sqq.; 6. Livre IV, chap. XLVIII et sqq.; 7. *Poulain* : instrument qui sert à descendre les tonneaux dans la cave; 8. Livre Ier. chap. V; 9. Livre Ier, chap. V; 10. Jeu de mots avec le *venite adoremus* de la liturgie; 11. Livre V, chap. XLV; 12. Chap. IX; 13. Livre IV, chap. XVII; 14. Livre Ier. chap. V; ce vin chasse la soif dans mon corps comme le furet chasse dans le trou où la femelle du lapin fait ses petits; 15. Livre Ier, chap. XIX; 16. Livre IV chap. XXI.

l'idée ne vaille pas une aussi grave démonstration (« De ce qu'est signifié par les couleurs blanc et bleu[1] ») : sans qu'il soit toujours possible de distinguer entre l'intention comique et l'étalage maladroit des connaissances. L'érudition peut alors devenir un procédé de mystification, un moyen encore de rire, et de faire rire ou sourire (dans le plaidoyer de Bridoye[2], les textes avec leurs références sont cités à contre-sens).

Les idées. — Rabelais nous invite à chercher dans son œuvre une philosophie. Il recommande au lecteur[3] de rompre l'os pour « sucer la substantifique moelle », c'est-à-dire de ne pas se laisser prendre légèrement aux « fôlâtreries », mais, « par une curieuse leçon et méditation fréquente », de découvrir sous cette enveloppe plus ou moins grossière les idées précieuses. Sans doute, il s'empresse d'ajouter qu'Homère n'a pas pensé aux allégories que les critiques ont voulu trouver dans l'Iliade et l'Odyssée, et semble par là nous mettre en garde contre une interprétation trop subtile : mais il est impossible de savoir dans quelle mesure il désire alors nous mystifier et dans quelle mesure aussi bien il prend ses précautions contre la défiance du Parlement et de la Sorbonne. Ce serait une erreur, peut-être, de chercher chez lui l'exposé d'une doctrine philosophique cohérente, mais il serait plus injuste de goûter seulement sa bouffonnerie, et de s'en tenir à la légende

> Du bon Rabelais qui buvait
> Toujours cependant qu'il buvait[4].

Il rit parce que tel est son tempérament, mais aussi parce que le rire fait passer la hardiesse de l'esprit : son œuvre, riche de pensée, suffirait à représenter le bouillonnement d'idées qui caractérise le XVIe siècle. Ses idées sont parfois exprimées directement, comme dans la lettre où Gargantua célèbre la renaissance du savoir[5]; il faut le plus souvent les dégager de la satire.

Il nous présente un idéal de vie fait de savoir et de liberté. Le pantagruélisme, défini dans le Prologue du Quart Livre « certaine gaieté d'esprit confite en mépris des choses fortuites », est le fruit de la connaissance et de la soumission à la nature. De la connaissance : le Cinquième Livre se termine sur le commentaire de l'oracle « Trich », « et ici maintenons que non rire, ains boire est le propre de l'homme [...]. Car le vin a pouvoir d'emplir l'âme de toute vérité, tout savoir et philosophie[6] ». De la soumission à la nature : Physis, la Nature, enfanta Beauté et Harmonie, Antiphysie enfanta Discordance[7]; la Nature est bonne, « gens libérés, bien nés, bien instruits [...] ont par nature un instinct et aiguillon qui toujours les pousse à faits vertueux et retire du vice[8] ». Il suffira aux Thélémites de la suivre dans cette étrange abbaye d'où toute règle

---

1. Livre Ier, chap. x; 2. Livre III, chap. xxxviii; 3. Livre Ier, Prologue;
4. Ronsard, *Épitaphe de François de Rabelais* / 5. Livre II, chap. viii; 6. Livre V, chap. xlv. 7. Livre IV, chap. xxxii; 8. Livre Ier, chap. lvii.

est bannie. Rabelais prend parti contre tout ce qui s'oppose à la nature et la déforme : tyrannie, fanatisme, formalisme, ignorance, dialectique trop subtile.

En face des grandes questions, Rabelais garde cette attitude d'humaniste : il défend le droit de l'homme à la dignité, à la liberté, à la vie, à l'intelligence, à un développement complet de son être.

La royauté : le bon géant Grandgousier ne la justifie que par un échange de services : le peuple entretient le roi, c'est au roi de revêtir le harnois pour défendre son peuple[1].

La justice : elle doit être rendue avec intelligence, honnêteté, humanité. Rabelais s'élève contre la corruption des juges, leur culte de la forme, la longueur des procès, les contradictions et l'obscurité des lois, la perversité des avocats[2].

La guerre : Grandgousier la condamne formellement au nom du christianisme, comme de l'humanisme : « Le temps n'est plus de conquester les royaumes, avec dommage de son prochain frère christian[3]. » Sans se soucier de ce que nous appellerions aujourd'hui l'honneur national, il a tout tenté pour l'éviter. Contraint de l'accepter, il la mène. dans la mesure du possible, avec humanité — il récompense même Touquedillon prisonnier —, et avec intelligence — il a une armée disciplinée, des chefs capables d'adopter une tactique. Au Livre III, Rabelais réclame des égards pour les peuples conquis : « La manière d'entretenir et retenir pays nouvellement conquestés n'est [...] les peuples pillant [...] et régissant avec verges de fer[4]. »

L'éducation : après avoir exposé, dans la lettre de Gargantua à Pantagruel[5], l'idéal d'un siècle épris de culture universelle, Rabelais a consacré une partie du Livre Ier[6] à l'éducation de Gargantua : Ponocrates développe toutes les facultés de Gargantua, et lui propose un programme encyclopédique, qui va de la chevalerie à l'astronomie. L'originalité de cette éducation consiste dans la place faite à l'hygiène et aux sports trop négligés par les collèges du XVIe siècle, et dans le souci de ne pas séparer les études et la vie. On peut reprocher à Rabelais d'avoir présenté, non pas une peinture, mais une caricature de l'éducation traditionnelle qui n'aboutissait pas, comme il le prétend, à l'ignorance et à la sottise, et surtout de ne pas s'être lui-même dégagé des anciens principes : l'enseignement de Ponocrates demande au disciple trop peu d'effort personnel et s'adresse encore trop à la mémoire.

La question religieuse : l'œuvre de Rabelais est souvent une satire irrespectueuse de certaines croyances ou pratiques religieuses. Les miracles y sont ridiculisés : Panurge échappe aux Turcs grâce à un miracle[7]; Pantagruel, dans la bataille contre Loup Garou, entend la même voix que Constantin[8]; on peut voir dans la résur-

1. Livre Ier, chap. XXVIII; **2.** Livres III et V; **3.** Livre Ier, chap. XLVI; **4.** Livre III, chap. Ier; **5.** Livre II, chap. VIII; **6.** Chap. XIV, XV, XXI, XXIII, XXIV; **7.** Livre II, chap. XIV; **8.** Livre II, chap. XXIX.

rection d'Epistémon[1] la parodie de la résurrection de Lazare. Les papes subissent aux Enfers un traitement particulièrement indigne[2]. Le principe de la papauté est ridiculisé dans l'épisode des Papimanes[3] comme dans l'Ile Sonnante[4]. Le clergé régulier est sans cesse attaqué parce qu'il substitue le formalisme de la règle à la pratique de la charité.

Mais les deux premiers livres exposent quelques idées religieuses positives. La lettre de Gargantua à Pantagruel est un acte de foi émouvant dans le « souverain plasmateur[5] ». Celle de Grandgousier à Gargantua affirme la nécessité de la grâce : Picrochole « ne peut être que méchant si par grâce divine n'est continuellement guidé[6] ». Si après avoir assisté à trente messes le même jour, sous ses premiers précepteurs sophistes, Gargantua, enfin confié à la sagesse de Ponocrates, semble ne plus en entendre une seule, s'il ne récite pas de prières toutes faites, il médite sur l'Évangile dès son réveil et termine sa journée par une action de grâces à la « bonté immense » de « Dieu le créateur[7] ». S'il n'est pas question de chapelle dans l'abbaye de Thélème, chaque « religieux » y a un oratoire particulier[8]. Fermée aux « bigots », aux « pharisiens », cette abbaye est ouverte aux prêcheurs qui annoncent le saint Évangile « en sens agile[9] ».

Beaucoup de ces idées s'accordent mieux avec la Réforme qu'avec le catholicisme, mais il est néanmoins difficile de voir en Rabelais un luthérien ou un calviniste : Calvin, avec qui il fut d'abord en correspondance, l'a violemment attaqué, et il semble plutôt s'élever contre tout fanatisme et tout formalisme.

Si des livres aussi hardis ont été publiés ou réédités avec le privilège du roi, privilège accordé par François Ier, puis par Henri II en des termes particulièrement bienveillants, c'est qu'ils étaient souvent en accord avec la politique royale (Abel Lefranc); Rabelais deviendrait ainsi une sorte de journaliste prêtant son soutien au gouvernement, à propos des grandes expéditions maritimes, de la réforme de l'armée ou de la justice, de l'exaltation du patriotisme, de la lutte contre les abus de la cour romaine.

Le vocabulaire et le style. — Le vocabulaire de Rabelais est immensément riche. Tout y passe, le français et le reste : les termes techniques, ceux de la pêche, de la liturgie, de la vie monastique, de la jurisprudence, de l'armée, de la médecine, de la navigation (voir au Livre IV l'étourdissant récit de la tempête où s'entremêlent, sans doute avec des erreurs, des confusions, mais avec tant de pittoresque et de vie, les noms de voiles et de manœuvres, les commandements, l'argot des marins, leurs jurons); le latin, le grec, l'hébreu, l'italien, l'espagnol, l'allemand, l'anglais; des langues fantaisistes —

---

1. Livre II, chap. xxx; 2. Livre II, chap. xxx; 3. Livre IV, chap. xlviii-liv; 4. Livre V, chap. i-viii; 5. Créateur; livre II, chap. viii; 6. Livre Ier, chap. xxix; 7. Livre Ier, chap. xxiii; 8. Livre Ier, chap. liii; 9. Livre Ier, chap. liv.

latin francisé, latin macaronique — et parfois inventées de toutes pièces ; des patois ; des onomatopées ; des mots créés quand le patois lui-même ne serait pas assez expressif. Sa virtuosité dans l'invention verbale ne connaît pas de mesure. Il veut éblouir le lecteur par l'infinie richesse de son vocabulaire et se prend le premier à son jeu.

Son style est aussi varié que son vocabulaire et que son imagination. Il n'y a pas un style, mais des styles de Rabelais : un style qu'on peut appeler cicéronien, où la phrase suit la période antique ; un style familier, dans certains récits et dans les Prologues ; un style rapide, dans les anecdotes ; un style vigoureux parfois dans l'indignation ; un style calqué sur la phrase parlée, dans les dialogues. Mais, si l'on met à part quelques textes comme la lettre de Gargantua à Pantagruel[1], ce qui domine par-dessus tout et donne à ce style son caractère original et son unité, c'est un rythme vivant, le rythme même de la respiration et de la parole. Peut-être Rabelais s'est-il peint sous la figure du vieux bonhomme Grandgousier, qui, devant un beau clair et grand feu, « faisait à sa femme et famille de beaux contes du temps jadis ». Son œuvre est pour être lue à haute voix. L'a-t-il dictée, suivant un usage fréquent à l'époque ? « Combien, est-il dit dans le Prologue du *Gargantua*, que le dictant n'y pensasse en plus que vous. »

Avec ses défauts, son manque de mesure et, si l'on veut, son cynisme, le roman de Rabelais est assurément une des plus grandes œuvres de l'esprit humain : l'œuvre d'un artiste comme on n'en connaît pas de plus puissant ; l'œuvre d'un penseur riche de la somme des connaissances et des idées de toute une époque féconde ; l'œuvre d'un humaniste enfin, au sens le plus large et le plus élevé, qui, au nom de la raison, se dresse contre la sottise sous toutes ses formes, l'injustice, la violence, le conformisme, et cela non s'indignant, mais riant d'un rire énorme, le rire de Gargantua quand il mystifiait les Parisiens du haut des tours Notre-Dame.

BIBLIOGRAPHIE SOMMAIRE

P. VILLEY, *Marot et Rabelais* (Paris, Champion, 1923).

J. PLATTARD, *la Vie et l'œuvre de Rabelais* (Paris, Boivin, 1939).

L. FEBVRE, *la Religion de Rabelais* (Paris, Gallimard, 1944).

1. Livre II, chap. VIII.

NOTICE

La publication. — *La vie très horrifique du grand Gargantua, père de Pantagruel, jadis composée par M. Alcofribas, abstracteur de quintessence, livre plein de Pantagruélisme* fut publiée, selon A. Lefranc, dans la seconde moitié de 1534, mais avant l'affaire des Placards (nuit du 17 au 18 octobre), qui fut suivie d'une période de répression rigoureuse. Sans doute inspirée par un voyage de Rabelais en Touraine, dans l'automne de 1532, elle fut très probablement composée en 1533. Le livre fut condamné par la Sorbonne en 1534.

Les sources. — Différents récits avaient déjà été tirés de la légende populaire de Gargantua, en particulier : *la Grande et merveilleuse vie de très puissant et redouté roi de Gargantua, translatée de grec en latin et de latin en français*, de François Girault, publiée vers 1533; Gargantua, endormi dans la campagne, écrase deux cents brebis, le berger tombe dans sa bouche et reste dans une dent jusqu'à ce que le géant le rejette en toussant; Gargantua emporte une cloche de Notre-Dame, démolit deux châteaux; — *Les grandes et inestimables chroniques du grand et énorme géant Gargantua*, vendues peut-être à la foire de Lyon d'août 1532 et que, selon A. Lefranc, rien ne permet d'attribuer à Rabelais : on y trouve le voyage de la jument et l'enlèvement des cloches de Notre-Dame. Rabelais a connu également, outre les textes anciens qui lui fournissent réflexions et anecdotes (*le Banquet* de Platon pour le Prologue), deux épopées burlesques italiennes : les *Macaronées* (1520), du moine mantouan Folengo (connu sous le nom de Merlin Coccaïe), qui retracent l'éducation du géant, et le *Morgante Maggiore* de Pulci (1481); peut-être aussi *Il Cortegiano*, de Balthazar Castiglione, paru en 1528 à Venise, qui traite de l'éducation. Enfin, la *Vie de Pyrrhus*, de Plutarque, a inspiré le chap. XXXIII, sur les illusions de Picrochole.

La réalité et l'actualité. — L'action du livre est située en France, sur les bords de la Loire ou à Paris. Gargantua naît dans la prairie de la Saulsaie[1], près de la Devinière, propriété du père

1. Chap. VI.

et du grand-père de Rabelais, qui dépendait du village de Seuilly où est située l'abbaye de frère Jean, et qui devient le domaine de Grandgousier ; les places fortes de Grandgousier sont des propriétés du père et du grand-père de Rabelais. A. Lefranc a pu établir une carte précise de la guerre picrocholine, qui se déroule entre Chinon et la forêt de Fontevrault. Cette guerre ne serait elle-même que la transposition d'un procès qui mit aux prises en 1528 les bateliers de la Loire et Gaucher de Sainte-Marthe, seigneur de Lerné : ce dernier avait installé des pêcheries gênantes pour les riverains et les bateliers, qui chargèrent de la défense de leurs intérêts Jehan Gallet, parent d'Antoine Rabelais (un Ulrich Gallet est dépêché à Picrochole au chapitre xxx). L'abbaye de Thélème, « jouxte la rivière de Loire[1] », est une copie « cent fois plus magnifique » des châteaux de la Renaissance (Rabelais cite Bonnivet, Chambord, Chantilly) ; elle a le même charme et le même luxe que la villa occupée par François Ier durant le siège de Pavie et décrite par Michelet dans *la Renaissance*. L'armée de Picrochole est composée non de bandes, mais de légions comme François Ier en organise en 1534 ; quant à Picrochole, il est sans doute Gaucher de Sainte-Marthe, mais il semble désigner aussi Charles Quint : Rabelais aurait retourné contre Charles Quint, dans le conseil de Picrochole[2], la scène satirique écrite par Thomas Morus contre François Ier. La satire de l'éducation « gothique », d'ailleurs venue un peu tard, est conforme aux idées du temps, et les attaques contre la Sorbonne peuvent être une réponse à la censure du *Pantagruel*.

1. Chap. LII-LIII ; 2. Chap. XXXIII.

PROLOGUE DE L'AUTEUR

Buveurs très illustres [...] (car à vous, non à autres sont dédiés mes écrits), Alcibiades, au dialogue de Platon intitulé *le Banquet*, louant son précepteur Socrates, sans controverse prince des philosophes, entre autres paroles le dit être semblable ès[1] Silènes[2]. Silènes étaient jadis petites boîtes, telles que voyons de présent ès boutiques des apothecaires, peintes au-dessus de figures joyeuses et frivoles, comme de harpies, satyres, oisons bridés, lièvres cornus, canes bâtées, boucs volants, cerfs limonniers et autres telles peintures contrefaites à plaisir pour exciter le monde à rire (quel fut Silène, maître du bon Bacchus); mais au-dedans l'on réservait[3] les fines drogues, comme baume, ambre gris, amomon[4], musc, civette, pierreries et autres choses précieuses. Tel disait être Socrates, parce que, le voyant au dehors et l'estimant par l'extérieure apparence, n'en eussiez donné un coupeau d'oignon[5] tant laid il était de corps et ridicule en son maintien, le nez pointu, le regard d'un taureau, le visage d'un fol, simple en mœurs, rustique en vêtements, pauvre de fortune, inepte à tous offices de la république[6], toujours riant, toujours buvant d'autant à un chacun[7], toujours se guabelant[8], toujours dissimulant son divin savoir; mais, ouvrant cette boîte, eussiez au dedans trouvé une céleste et impréciable[9] drogue : entendement plus que humain, vertu merveilleuse, courage invincible, sobresse[10] non pareille, contentement certain, assurance parfaite, déprisement[11] incroyable de tout ce pourquoi les humains tant veillent, courent, travaillent, naviguent et bataillent.

À quel propos, en[12] votre avis, tend ce prélude et coup d'essai ? Pour autant que[13] vous, les bons disciples et quelques autres fols de séjour[14], lisant les joyeux titres d'aucuns[15] livres de notre invention,

---

1. *Es :* aux; **2.** Voici le passage du *Banquet* auquel Rabelais fait allusion : « Voici donc ce que je déclare : c'est que Socrate est tout pareil à ces Silènes qu'on voit plantés dans les ateliers de sculpture, et que les artistes représentent tenant un pipeau ou une flûte; les entrouve-t-on par le milieu, on voit qu'à l'intérieur ils contiennent des figurines de dieux! » Ce texte était familier aux érudits de la Renaissance. Érasme l'avait vulgarisé *(Adages)* ; **3.** Mettait en réserve; **4.** Fruit de l'amome, plante d'Afrique (graines de paradis); **5.** Morceau. Locution héritée du latin *(non flocci facere)* ; **6.** Incapable de remplir aucune fonction dans l'État; **7.** *Boire d'autant à un chacun :* tenir tête à chaque buveur en buvant autant que lui. Sans complément, signifie simplement : boire beaucoup; **8.** Se moquant *(gabe :* plaisanterie); **9.** Inappréciable; **10.** Sobriété; **11.** Mépris; **12.** A; **13.** Parce que; **14.** *Fols de séjour.* Est « de séjour » celui que rien n'empêche de séjourner, qui a du loisir; **15.** *Aucuns :* quelques. Ce sens positif et cet emploi au pluriel s'expliquent par l'étymologie *(aliquem unum).*

comme *Gargantua*, *Pantagruel*[1] [...], *Des Pois au lard cum commento*[2], etc., jugez trop facilement n'être au dedans traité que moqueries, folâtreries et menteries joyeuses : vu que l'enseigne extérieure (c'est le titre), sans plus avant enquérir[3], est communément reçue à dérision et gaudisserie[4]. Mais par[5] telle légèreté ne convient estimer les œuvres des humains : car vous-mêmes dites que l'habit ne fait pas le moine [...]. C'est pour quoi faut ouvrir le livre et soigneusement peser ce qui est déduit[6]. Lors connaîtrez que la drogue dedans contenue est bien d'autre valeur que ne promettait la boîte. C'est-à-dire que les matières ici traitées ne sont tant folâtres comme le titre au-dessus prétendait.

[...] Vîtes-vous onques[7] chien recontrant quelque os médullaire[8] ? [...] Si vu l'avez, vous avez pu noter de quelle dévotion il le guette, de quel soin il le garde, de quel ferveur[9] il le tient, de quelle prudence[10] il l'entoure, de quel affection il le brise, et de quelle diligence il le suce. Qui le induit à ce[11] faire ? Quel est l'espoir de son étude ? Quel bien prétend-il ? Rien plus qu'un peu de moelle. Vrai est[12] que ce peu plus est délicieux que le beaucoup de toutes autres, pour ce que la moelle est aliment élaboure[13] à perfection de[14] nature.

A l'exemple d'icelui[15] vous convient être sages, pour fleurer[16], sentir et estimer ces beaux livres de haute graisse[17], légers au pourchas[18] et hardis à la rencontre. Puis, par curieuse leçon[19] et méditation fréquente, rompre l'os et sucer la substantifique moelle[20], c'est-à-dire ce que j'entends par ces symboles pythagoriques[21], avec espoir certain d'être faits[22] escor[23] et preux[24] à la dite lecture, car en icelle[25] bien autre goût trouverez, et doctrine plus absconse[26], laquelle vous révélera de très hauts sacrements et mystères horrifiques, tant en ce qui concerne notre religion que aussi l'état politique et vie économique.

Croyez-vous en votre foi qu'oncques[27] Homère écrivant l'*Iliade* et l'*Odyssée* pensât ès[28] allégories lesquelles de lui ont calefreté[29] Plutarque, Héraclide Pontique[30] [...] ? Si le croyez, vous n'approchez ni des pieds ni des mains à mon opinion [...]. Si ne le croyez,

1. On sait que Rabelais avait publié son *Pantagruel* dix-huit mois avant *Gargantua* ; 2. Titre de pure fantaisie ; 3. Sans que l'on aille chercher plus loin ; 4. Plaisanterie. *Se gaudir* : se moquer ; 5. Avec ; 6. Raconté au long ; 7. Jamais, au sens de quelquefois (*unquam* + *s* adverbial) ; 8. Os à moelle ; 9. *Ferveur* est au masculin, comme *fervor* en latin ; 10. Habileté ; 11. Qui le pousse à faire cela ? 12. L'absence de liaison marque ici une opposition violente : *mais il est vrai...*; 13. Formé; 14. *De* : par; 15. Celui-ci; 16. Flairer; 17. *De haute graisse* : au sens propre : très gras; ici, au figuré : de haute valeur; 18. Poursuite. *Légers* se rapporte à *vous*. La métaphore qui se continue est celle du chien; 19. Lecture appliquée; 20. *Substantifique moelle* : saint Jérôme désignait ainsi le sens allégorique des Écritures. *Substantifique* : nourrissante; 21. Pythagoriciens. Entendez : par ces allégories à la manière de Pythagore; 22. De devenir *(fieri)* ; 23. Avisés; 24. Sages; 25. Celle-ci; 26. Secrète; 27. Jamais; 28. Dans; 29. Calfaté. Les premières éditions portent : *beluté* (criblé); 30. *Héraclide Pontique* (du Pont), philosophe du 1er siècle avant J.-C., à qui l'on attribuait un ouvrage sur *les Allégories chez Homère*.

quelle cause est pourquoi autant n'en ferez[1] de ces joyeuses et nouvelles chroniques ? Combien[2] que les dictant n'y pensasse en plus que vous, qui par aventure buviez comme moi. Car, à la composition de ce livre seigneurial, je ne perdis ni employai onques plus ni autre temps que celui qui était établi à prendre ma réfection corporelle[3], savoir est buvant et mangeant. Aussi est-ce la juste heure d'écrire ces hautes matières et sciences profondes [...].

---

1. Pour quelle raison n'en feriez-vous pas autant... ; **2.** Bien que, lorsque je les dictais, je n'y aie pas pensé plus que vous ; **3.** Consacré au repas. Rabelais prétend qu'il a rédigé en mangeant.

[Rabelais présente d'abord la généalogie de Gargantua. Grand-gousier, son père, et Gargamelle, sa mère, sont grands mangeurs. Un jour, ils invitent les paysans du voisinage à manger force tripes. On s'installe pour faire bombance sur les bords de la Saulsaie, près de la Devinière, en Chinonais. Rabelais décrit la ripaille.]

Chapitre V

LES PROPOS DES BIEN-IVRES

Puis entrèrent en propos de réciner[1] on[2] propre lieu[3].
Lors flacons d'aller, jambons de trotter, gobelets de voler, breusses[4] de tinter.

« Tire.

— Baille.

— Tourne.

— Brouille[5].

— Boute[6] à moi sans eau; ainsi, mon ami.

— Fouette-moi[7] ce verre galantement.

— Produis-moi[8] du clairet, verre pleurant.

— Trêves de soif.

— Ha! fausse[9] fièvre, ne t'en iras-tu pas?

— Par ma fi[10]! ma commère, je ne peux entrer en bette[11].

— Vous êtes morfondue, m'amie?

— Voire.

— Ventre Saint-Quenet, parlons de boire.

— Je ne bois qu'à mes heures, comme la mule du pape[12].

— Je ne bois qu'en mon bréviaire[13] comme un beau père gardien[14].

— Qui fut premier, soif ou beuverie?

---

1. Puis se décidèrent à *goûter ;* **2.** Au, dans le; **3.** A l'endroit même, sur place. Beuveries et danses ont lieu au bord du ruisseau de la Saulsaie; **4.** Brocs; **5.** Mélange (avec de l'eau); **6.** Mets. Cette demande s'oppose à la demande précédente; **7.** Vider d'un trait, en coup de fouet; **8.** Dans la langue juridique, exhiber. Le mot trahit un légiste; **9.** Perfide; **10.** Ma foi; **11.** Boisson; *entrer en bette :* se mettre à boire; **12.** Allusion à un proverbe courant : capricieux comme la mule du pape; **13.** On fabriquait des bouteilles imitant la forme d'un bréviaire; **14.** *Père gardien :* supérieur d'un couvent de cordeliers.

— Soif, car qui eût bu sans soif durant le temps d'innocence ?

— Beuverie, car *privatio præsupponit habitum*[1]. Je suis clerc : *Fæcundi calices quem non fecere disertum*[2] ?

— Nous autres innocents ne buvons que trop sans soif.

— Non moi, pécheur, sans soif, et sinon présente, pour le moins future, la prévenant comme entendez. Je bois pour la soif à venir. Je bois éternellement. Ce m'est éternité de beuverie et beuverie d'éternité.

— Chantons, buvons ; un motet entonnons.

— Où est mon entonnoir ?

— Quoi ? je ne bois que par procuration !

— Mouillez-vous pour sécher, ou vous séchez pour mouiller ?

— Je n'entends point la théorique ; de la pratique je m'aide quelque peu.

— Hâte !

— Je mouille, j'humecte, je bois, et tout de peur de mourir.

— Buvez toujours, vous ne mourrez jamais.

— Si je ne bois, je suis à sec, me voilà mort. Mon âme s'enfuira en quelque grenouillère. En sec jamais l'âme n'habite.

— Sommeliers, ô créateurs de nouvelles formes, rendez-moi de non buvant buvant[3].

— Pérennité d'arrosement par ces nerveux et secs boyaux.

— Pour néant boit qui ne s'en sent.

— Cetui[4] entre dedans les veines ; la pissotière n'y aura rien.

— Je laverais volontiers les tripes de ce veau que j'ai ce matin habillé[5].

— J'ai bien saburré[6] mon estomac.

— Si le papier de mes cédules buvait aussi bien que je fais, mes créditeurs auraient bien leur vin[7] quand on viendrait à la formule d'exhiber[8].

— Cette main vous gâte le nez[9].

---

1. La privation (soif) n'a de sens que par rapport à une possession antérieure (beuverie) : argument scolastique ; **2.** Vers d'Horace (*Épîtres*, I, v, 19) : « Quel est celui que les coupes pleines n'ont pas rendu orateur ? » ; **3.** Plaisanterie scolastique. Le vin change la *forme* du corps, puisqu'il transforme un non-buvant en buvant ; **4.** Celui-là ; **5.** *Habiller* : apprêter, parer, en langage de boucher. C'est lui-même que l'interlocuteur désigne ainsi ; **6.** Lesté ; **7.** Auraient leur pourboire ; **8.** Produire ses titres (terme juridique) ; **9.** Parce qu'elle porte trop de verres à la bouche.

— Ô quants[1] autres y entreront, avant que cetui-ci en sorte !

— Boire à si petit gué, c'est pour rompre son poitrail[2].

— Ceci s'appelle pipée à flacons[3].

— Quelle différence est entre bouteille et flacon ?

— Grande, car bouteille est fermée à bouchon et flacon à vis.

— De belles !

— Nos pères burent bien et vidèrent les pots.

— C'est bien chanté, buvons !

— Cetui-ci va laver les tripes. Voulez-vous rien mander à la rivière ?

— Je ne bois en plus qu'une éponge.

— Je bois comme un templier.

— Et je *tanquam sponsus*[4].

— Et moi *sicut terra sine aqua*[5].

— Un synonyme de jambon ?

— C'est une compulsoire[6] de buvettes ; c'est un poulain. Par le poulain, on descend le vin en cave, par le jambon en l'estomac.

— Or çà, à boire, boire çà ! Il n'y a point charge. *Respice personam, pone pro duos ; bus non est in insu*[7].

— Si je montais aussi bien comme j'avale[8], je fusse piéça[9] haut en l'air.

— Ainsi se fit Jacques Cœur riche.

— Ainsi profitent bois en friche.

— Ainsi conquêta Bacchus l'Inde.

— Ainsi philosophie Mélinde[10].

— Petite pluie abat grand vent. Longues buvettes rompent le tonnerre. [...]

— Page, baille ; je t'insinue ma nomination en mon tour[11].

— Hume, Guillot ! Encores y en a il un pot.

— Je me porte pour appelant de soif comme d'abus. Page, relève mon appel en forme[12].

---

1. Combien de *(quantus)* ; 2. Le cheval risque de rompre son *poitrail* en baissant le cou trop fort pour boire, quand l'eau est basse ; 3. Cf. chasse à la pipée : les flacons s'attirent ; 4. Cette expression des Psaumes est introduite par simple calembour. *Sponsus* est amené par éponge ; 5. Expression des Psaumes : comme une terre sans eau ; 6. Dans la langue du Palais, acte qui obligeait à produire une pièce que l'on gardait par-devers soi ; 7. Réclamation d'un buveur chichement servi : « Regarde qui tu sers, et verse pour deux. » Il fait exprès un solécisme (duos pour *duo-bus*), afin d'éviter le mot *bus* (passé de boire). « *Bus* n'est pas d'usage. » ; 8. Je descends (calembour) ; 9. Depuis longtemps ; 10. Ville de la côte de Zanzibar, à demi fabuleuse ; 11. Je *m'inscris* pour être nommé, c'est-à-dire servi à mon tour ; 12. Mets-le dans les formes juridiques.

— Cette rognure ?

— Je soulais jadis boire tout ; maintenant, je n'y laisse rien.

— Ne nous hâtons pas et amassons bien tout.

— Voici tripes de jeu et gaudebillaux d'envi[1] de ce fauveau[2] à la raie noire.

— O, pour Dieu ! étrillons-le[3] à profit de ménage. Buvez, ou je vous...

— Non, non !

— Buvez, je vous en prie.

— Les passereaux ne mangent sinon qu'on leur tape les queues. Je ne bois sinon qu'on me flatte.

— *Lagona edatera*[4] ! Il n'y a rabouillère[5] en tout mon corps où cetui vin ne furette la soif.

— Cetui-ci me la fouette bien.

— Cetui-ci me la bannira du tout.

— Cornons ici, à son de flacons et bouteilles, que quiconque aura perdu la soif n'ait à la chercher céans : longs clystères de beuverie l'ont fait vider hors le logis.

— Le grand Dieu fit les planètes, et nous faisons les plats nets. [...]

CHAPITRE VI

[Gargantua naît au milieu de la fête ; il jaillit de l'oreille gauche de sa mère (comme Minerve de l'oreille de Jupiter) et réclame tout de suite : « A boire ! »]

CHAPITRE VII

COMMENT LE NOM FUT IMPOSÉ À GARGANTUA, ET COMMENT IL HUMAIT LE PIOT

Le bonhomme Grandgousier, buvant et se rigolant avec les autres, entendit le cri horrible que son fils avait fait entrant en lumière de ce monde, quand il bramait demandant : « A boire, à boire, à boire ! », dont il dit : « QUE GRAND TU AS ! » (*supple* le gosier[6]). Ce que oyants, les assistants dirent que vraiment il devait avoir par ce le nom GARGANTUA[7], puisque telle avait été la première parole de son

---

1. *Gaudebillaux* : tripes. *D'envi* : De relance (terme de jeu) ; 2. Bœuf à poil fauve ; 3. *Étriller fauveau* : flatter ; 4. Compagnon, à boire (en basque) ; 5. Terrier ; 6. Sous-entends le gosier ; 7. *Gargantua* : apparenté probablement au mot languedocien « garganta » (la grande gorge).

père à sa naissance, à l'imitation et exemple des anciens Hébreux. A quoi fut condescendu par icelui et plut très bien à sa mère. Et pour l'apaiser, lui donnèrent à boire à tire larigot, et fut porté sur les fonts, et là baptisé, comme est la coutume des bons christians.

Et lui furent ordonnées dix et sept mille neuf cents treize vaches de Pautille et de Bréhémond[1], pour l'allaiter ordinairement. Car de trouver nourrice suffisante n'était possible en tout le pays, considéré la grande quantité de lait requis pour icelui alimenter, combien[2] qu'aucuns[3] docteurs scotistes[4] aient affirmé que sa mère l'allaita, et qu'elle pouvait traire de ses mamelles quatorze cents deux pipes[5] neuf potées de lait pour chacune fois, ce que n'est vraisemblable, et a été la proposition déclarée mammallement[6] scandaleuse, des pitoyables[7] oreilles offensives, et sentant de loin hérésie.

En cet état passa jusques à un an et dix mois, onquel[8] temps, par le conseil des médecins, on commença le porter, et fut faite une belle charrette à bœufs par l'invention de Jean Deniau. Dedans icelle on le promenait par ci par là, joyeusement, et le faisait bon voir, car il portait bonne trogne et avait presque dix et huit mentons, et ne criait que bien peu. [...] S'il advenait qu'il fût dépit, courroucé, fâché ou marri, s'il trépignait, s'il pleurait, s'il criait, lui apportant à boire l'on le remettait en nature, et soudain demeurait coi et joyeux.

Une de ses gouvernantes m'a dit, jurant sa fi[9] que de ce faire il était tant coutumier, qu'au seul son des pintes et flacons, il entrait en extase, comme s'il goûtait les joies de paradis. En sorte qu'elles, considérants cette complexion divine, pour le réjouir au matin, faisaient devant lui sonner des verres avec un couteau, ou des flacons avec leur toupon[10], ou des pintes avec leur couvercle, auquel son il s'égayait, il tressaillait, et lui même se bressait[11] en dodelinant de la tête et monocordisant[12] des doigts.

---

1. Noms de hameaux qui existent encore en Indre-et-Loire; 2. *Combien que*, sens purement concessif; 3. *Aucuns* (valeur positive) : quelques; 4. *Scotistes* : disciples de Duns Scot, docteur scolastique du XIIIᵉ siècle; 5. Grande futaille contenant un muid et demi; 6. *Mammallement*, adverbe de fantaisie, forgé sur mamelles. Rabelais a remplacé par cette extravagance les mots : *par Sorbonne ;* 7. Probablement *pieuses*, par allusion à la formule des censeurs : *piarum aurium offensivam ;* 8. *Onquel :* auquel. *On* est le singulier de *ès* (en le, en les); 9. Sa foi; 10. Bouchon; 11. Berçait; 12. Jouant du monocorde (clavecin primitif).

CHAPITRES VIII-X

[De longs détails sont alors donnés sur les vêtements de Gargantua, leurs dimensions, leurs couleurs.]

CHAPITRE XI

DE L'ADOLESCENCE DE GARGANTUA

Gargantua, depuis les trois jusques à cinq ans, fut nourri et institué en toute discipline convenante, par le commandement de son père, et celui temps passa comme les petits enfants du pays : c'est à savoir à boire, manger et dormir; à manger, dormir et boire; à dormir, boire et manger.

Toujours se vautrait par les fanges, se mascarait[1] le nez, se chaffourait[2] le visage, aculait ses souliers, bâillait souvent aux mouches et courait volontiers après les parpaillons[3], desquels son père tenait l'empire. [...] Il se mouchait à ses manches, il morvait dedans sa soupe, et patrouillait par tous lieux, et buvait en sa pantoufle et se frottait ordinairement le ventre d'un panier. Ses dents aiguisait d'un sabot, ses mains lavait de potage, se peignait d'un gobelet, s'asséait entre deux selles[4] le cul à terre, se couvrait d'un sac mouillé, buvait en mangeant sa soupe, mangeait sa fouace[5] sans pain, mordait en riant, riait en mordant, souvent crachait on[6] bassin, [...] se cachait en l'eau pour la pluie, battait à froid[7], songeait creux, faisait le sucré, écorchait le renard, disait la patenôtre du singe, retournait à ses moutons, tournait les truies au foin[8], battait le chien devant le lion[9], mettait la charrette devant les bœufs, se grattait où ne lui démangeait point, tirait les vers du nez, trop embrassait et peu étreignait, mangeait son pain blanc le premier, ferrait les cigales, se chatouillait pour se faire rire, ruait[10] très bien en cuisine, faisait gerbe de feurre[11] aux dieux, faisait chanter *Magnificat* à matines et le trouvait bien à propos[12], connais-

---

1. Se noircissait; 2. Se barbouillait; 3. Papillons; 4. Sièges; 5. Galettes de froment; 6. Au, dans le; 7. Battait le fer sans le chauffer : c'est-à-dire agissait de travers; 8. Les truies ne mangent pas de foin. Les y conduire, c'est agir encore hors de propos. Autant de dictons que Rabelais s'amuse à entasser pour décrire l'indiscipline et l'ignorance de l'enfant; 9. Expression proverbiale : faire une réprimande à quelqu'un en présence d'un personnage plus puissant, auquel s'adresse réellement la leçon; 10. Se jetait; 11. Paille. Tromper les dieux en leur offrant paille au lieu de blé; 12. Agissait à rebours : le chant du *Magnificat* termine les Vêpres.

sait mouches en lait[1], faisait perdre les pieds aux mouches, ratissait le papier, chaffourait le parchemin, gagnait au pied[2], tirait au chevrotin[3], comptait sans son hôte, battait les buissons sans prendre les oisillons, croyait que nues fussent pailles[4] d'airain et que vessies fussent lanternes, tirait d'un sac deux moutures, faisait de l'âne pour avoir du bren[5], de son poing faisait un maillet, prenait les grues du premier saut, ne voulait que maille à maille on fît les haubergeons[6], de cheval donné toujours regardait en la gueule, sautait du coq à l'âne, mettait entre deux vertes une mûre[7], faisait de la terre le fossé, gardait la lune des loups, si les nues tombaient espérait prendre les allouettes, faisait de nécessité vertu, faisait de tel pain soupe[8], se souciait aussi peu des rais[9] comme des tondus, tous les matins écorchait le renard. Les petits chiens de son père mangeaient en son écuelle; lui de même mangeait avec eux. [...]

Chapitres XII-XIII

[Preuves de l'esprit inventif du jeune Gargantua.]

Chapitre XIV

COMMENT GARGANTUA FUT INSTITUÉ PAR UN THÉOLOGIEN EN LETTRES LATINES

Ces propos entendus[10], le bonhomme Grandgousier fut ravi en admiration, considérant le haut sens et merveilleux entendement de son fils Gargantua, et dit à ses gouvernantes :

« Philippe, roi de Macédoine, connut le bon sens de son fils Alexandre à manier dextrement un cheval, car ledit cheval était si terrible et effréné que nul n'osait monter dessus parce qu'à tous ses chevaucheurs il baillait la saccade, à l'un rompant le cou, à l'autre les jambes, à l'autre la cervelle, à l'autre les mandibules. Ce que considérant Alexandre

---

1. Distinguait (ici, le noir du blanc); **2.** *Gagner au pied* : s'enfuir; **3.** Buvait à l'outre en peau de chèvre, c'est-à-dire gaspillait; **4.** *Pailles* : dais, poêle *(pallium)* ; **5.** *Bren* : son; **6.** Cottes de mailles; **7.** C'est-à-dire un peu de douceur et beaucoup d'amertume; **8.** *Soupe* : tranche de pain sur laquelle on verse du bouillon; **9.** Rasés; **10.** Gargantua vient de raconter à Grandgousier ses premières prouesses.

en l'hippodrome (qui était le lieu où l'on promenait et volti-geait[1] les chevaux), avisa que la fureur du cheval ne venait que de frayeur qu'il prenait à son ombre. Dont[2], montant dessus, le fit courir encontre le soleil, si que l'ombre tombait par derrière, et, par ce moyen, rendit le cheval doux à son vouloir. A quoi connut son père le divin entendement qui en lui était, et le fit très bien endoctriner[3] par Aristotèles, qui pour lors était estimé sur[4] tous philosophes de Grèce.

« Mais je vous dis qu'en ce seul propos, que j'ai présente-ment devant vous tenu à mon fils Gargantua, je connais que son entendement participe de quelque divinité, tant je le vois aigu, subtil, profond et serein, et parviendra à degré souverain de sapience[5], s'il est bien institué[6]. Pour tant[7], je veux le bailler à quelque homme savant pour l'endoctriner selon sa capacité, et n'y veux rien épargner. »

De fait, l'on lui enseigna un grand docteur en théologie, nommé maître Thubal Holopherne, qui lui apprit sa charte[8], si bien qu'il la disait par cœur au rebours, et y fut cinq ans et trois mois. Puis lui lut le *Donat*, le *Facet*, *Theodolet* et *Alanus in Parabolis*[9], et y fut treize ans, six mois et deux semaines.

Mais notez que, cependant, il lui apprenait à écrire gothi-quement, et écrivait tous ses livres, car l'art d'impression[10] n'était encore en usage.

Et portait ordinairement un gros écritoire, pesant plus de sept mille quintaux, duquel le galimart[11] était aussi gros et grand que les gros piliers d'Enay[12], et le cornet[13] y pendait à grosses chaînes de fer, à la capacité d'un tonneau de mar-chandise.

Puis lui lut *de Modis significandi*[14], avec les comments[15] de Hurtebise, de Fasquin, de Tropditeux, de Gualehaul, de Jean le Veau, de Billonio, Brelinguandus[16], et un tas d'autres et y fut plus de dix-huit ans et onze mois. Et le sut si bien qu'au coupelaud[17] il le rendait par cœur à revers, et prouvait sur ses doigts, à sa mère, que *de modis significandi non erat scientia*.

1. Faisait voltiger; 2. *Dont* : d'où, en conséquence; 3. Instruire; 4. Par-dessus; 5. Sagesse; 6. Élevé; 7. *Pour tant* : pour autant, en conséquence; 8. Alpha-bet; 9. Ces livres servaient dans les écoles du Moyen Age aux enfants débutants; 10. Imprimerie; 11. *Galimart* : étui servant à mettre les plumes et le canif; 12. Église de Lyon; 13. *Cornet* : encrier; 14. Ouvrage de grammaire théorique. Tous les manuels sont rédigés en latin; 15. Commentaires; 16. Noms de raillerie ou de mépris. *Tropditeux* : indésirable (mot à mot : comme il y en a trop); 17. A l'épreuve.

Puis lui lut le *Compost*[1], où il fut bien seize ans et deux mois, lorsque son dit précepteur mourut. [...]

Après en eut un autre vieux tousseux, nommé maître Jobelin Bridé, qui lui lut Hugutio, Hébrard *Grecisme*, le *Doctrinal*, les *Pars*, le *Quid est*, le *Supplementum*, Marmo-tret, *de Moribus in mensa servandis*, Seneca, *de Quatuor virtutibus cardinalibus*, Passavantus *cum commento* et *Dormi secure*[2] pour les fêtes, et quelques autres de semblable farine. A la lecture desquels il devint aussi sage qu'onques puis ne fournâmes-nous[3].

CHAPITRE XV

COMMENT GARGANTUA FUT MIS SOUS AUTRES PÉDAGOGUES

A tant[4] son père aperçut que vraiment il étudiait très bien et y mettait tout son temps, toutefois qu'en rien ne profitait, et, que pis est, en devenait fou, niais, tout rêveux et rassoté[5].

De quoi se complaignant à don Philippe des Marays, vice-roi de Papeligosse, entendit que mieux lui vaudrait rien n'apprendre que tels livres sous tels précepteurs apprendre, car leur savoir n'était que bêterie, et leur sapience n'était que moufles[6], abâtardisant les bons et nobles esprits et corrompant toute fleur de jeunesse.

« Qu'ainsi soit, prenez, dit-il, quelqu'un de ces jeunes gens du temps présent, qui ait seulement étudié deux ans. En cas qu'il n'ait meilleur jugement, meilleures paroles, meilleur propos que votre fils, et meilleur entretien et honnêteté[7] entre le monde, réputez-moi à jamais un taille-bacon[8] de la Brenne. » Ce que à Grandgousier plut très bien, et commanda qu'ainsi fût fait.

Au soir, en soupant, ledit des Marays introduit un sien jeune page de Villegongis, nommé Eudémon[9], tant bien testonné[10], tant bien tiré, tant bien épousseté, tant honnête

---

1. Calendrier populaire; 2. Ouvrages de rhétorique, de morale ou d'édifi-cation en usage dans les écoles du Moyen Age; 3. Que jamais depuis nous n'enfournâmes (métaphore amenée par la « farine » de la phrase précédente); 4. *A tant* : alors, à ce moment-là. Tant est un démonstratif renforcé *(tanta)*. Cf. par tant, pour tant, etc.; 5. Radoteur; 6. Mitaines, c'est-à-dire niaiseries; 7. *Honnêteté* : aisance mondaine (cf. le sens classique de « honnête homme »); 8. Tranche-lard, c'est-à-dire fanfaron; 9. Nom grec symbolique : fortuné, nanti d'un bon génie; 10. Coiffé.

en son maintien que trop mieux[1] ressemblait quelque petit angelot qu'un homme. Puis dit à Grandgousier :

« Voyez-vous ce jeune enfant ? il n'a encore douze ans. Voyons si bon vous semble, quelle différence y a entre le savoir de vos rêveurs matéologiens[2] du temps jadis et les jeunes gens de maintenant. »

L'essai plut à Grandgousier, et commanda que le page proposât[3]. Alors Eudémon, demandant congé de ce faire audit vice-roi son maître, le bonnet au poing, la face ouverte, la bouche vermeille, les yeux assurés, et le regard assis sur Gargantua avec modestie juvénile, se tint sur ses pieds et commença le louer et magnifier, premièrement de sa vertu et bonnes mœurs, secondement de son savoir, tiercement de sa noblesse, quartement de sa beauté corporelle, et, pour le quint[4], doucement l'exhortait à révérer son père en toute observance[5], lequel tant s'étudiait à bien le faire instruire ; enfin le priait qu'il le voulût retenir pour le moindre de ses serviteurs, car autre don pour le présent ne requérait des cieux, sinon qu'il lui fût fait grâce de lui complaire en quelque service agréable.

Le tout fut par icelui proféré avec gestes tant propres, prononciation tant distincte, voix tant éloquente, et langage tant orné et bien latin, que mieux ressemblait un Gracchus, un Cicéron ou un Emilius du temps passé qu'un jouvenceau de ce siècle. Mais toute la contenance de Gargantua fut qu'il se prit à pleurer comme une vache, et se cachait le visage de son bonnet, et ne fut possible de tirer de lui une parole. [...]

Dont son père fut tant courroucé qu'il voulut occire maître Jobelin. [...]

Chapitre XVI

COMMENT GARGANTUA FUT ENVOYÉ À PARIS, ET DE L'ÉNORME JUMENT QUI LE PORTA, ET COMMENT ELLE DÉFIT LES MOUCHES BOVINES DE LA BEAUCE

En cette même saison, Fayoles, quart[6] roi de Numidie, envoya du pays d'Afrique à Grandgousier une jument la plus énorme et la plus grande que[7] fut onques[8] vue, et la

---

1. Beaucoup plus. Trop n'implique pas l'idée d'une limite dépassée ; 2. *Matéologien* : qui tient des propos oiseux. L'adjectif est choisi pour le calembour : théologiens ; 3. C'est exposer et soutenir une thèse ; 4. Cinquièmement ; 5. Occasion ; 6. Quatrième ; 7. *Que* : qui ; 8. *Onques* : jamais.

plus monstrueuse (comme assez savez qu'Afrique apporte toujours quelque chose de nouveau)[1] car elle était grande comme six oriflans[2] et avait les pieds fendus en doigts comme le cheval de Jules César, les oreilles ainsi pendantes comme les chèvres de Languegoth[3]. Au reste, avait poil d'alezan toustade[4], entreillisé de grises pommelettes. Mais sur tout avait la queue horrible, car elle était, poi plus poi moins[5], grosse comme la pile Saint-Mars[6] auprès de Langès, et ainsi carrée, avec les brancards[7] ni plus ni moins ennicrochés[8] que sont les épis au blé. [...]

Et fut amenée par mer en trois caraques et un brigantin, jusques au port d'Olonne[9] en Talmondais. Lorsque Grandgousier la vit :

« Voici, dit-il, bien le cas pour porter mon fils à Paris. Or çà, de par Dieu, tout ira bien. Il sera grand clerc on[10] temps advenir. Si n'étaient messieurs les bêtes, nous vivrions comme clercs[11]. »

Au lendemain, après boire (comme entendez), prirent chemin Gargantua, son précepteur Ponocrates et ses gens, ensemble[12] eux Eudémon, le jeune page. Et parce que c'était en temps serein et bien attrempé[13], son père lui fit faire des bottes fauves : Babin les nomme brodequins. Ainsi joyeusement passèrent leur grand chemin et toujours grand' chère[14], jusques au-dessus d'Orléans. Auquel lieu était une ample forêt, de la longueur de trente et cinq lieues, et de largeur dix et sept, ou environ. Icelle était horriblement fertile et copieuse en mouches bovines et frelons, de sorte que c'était une vraie briganderie pour les pauvres juments, ânes et chevaux. Mais la jument de Gargantua vengea honnêtement tous les outrages en icelle perpétrés sur les bêtes de son espèce, par un tour duquel ne se doutaient mie. Car soudain qu'ils furent entrés en ladite forêt et que les frelons lui eurent livré l'assaut, elle dégaina sa queue, et si bien s'escarmouchant les émoucha qu'elle en abattit tout le bois. A tort, à travers, deçà, delà, par ci, par là, de long, de

1. Dicton ancien (cf. Érasme, *Adages*); **2.** Éléphants; **3.** Languedoc; **4.** Brûlé; **5.** Un peu plus, un peu moins (forme angevine); **6.** *Saint-Mars* (commune de l'arrondissement de Chinon) possédait une tour quadrangulaire de 4 mètres de largeur et de 20 mètres de hauteur (ancienne borne-frontière); **7.** Branches. Peut-être, au figuré, les poils de la queue; **8.** Ajusté avec des crochets; **9.** Les Sables-d'Olonne; **10.** *On* : cf. p. 27, n. 8; **11.** Lapsus volontaire : *bêtes* a pris la place de *clercs*, et *vice versa* ; **12.** *Ensemble* (préposition) : avec; **13.** Tempéré; **14.** Bombance. Proprement, visage, accueil (cf. faire chère lie, *infra*).

large, dessus, dessous, abattait bois comme un faucheur fait d'herbes. En sorte que, depuis, n'y eut ni bois ni frelons, mais fut tout le pays réduit en campagne.

Quoi voyant Gargantua, y prit plaisir bien grand, sans autrement s'en vanter, et dit à ses gens : « Je trouve *beau ce* », dont[1] fut depuis appelé ce pays la Beauce. Mais tout leur déjeuner fut par bailler, en mémoire de quoi, encore de présent, les gentilhommes de Beauce déjeunent de bailler[2] et s'en trouvent fort bien et n'en crachent que mieux.

Finalement arrivèrent à Paris, auquel lieu se rafraîchit deux ou trois jours, faisant chère lie avec ses gens, et s'enquêtant quels gens savants étaient pour lors en la ville et quel vin on y buvait.

Chapitre XVII

COMMENT GARGANTUA PRIT LES GROSSES CLOCHES DE L'ÉGLISE NOTRE-DAME

[...] Ce fait, considéra les grosses cloches qui étaient ès[3] dites tours, et les fit sonner bien harmonieusement. Ce que faisant lui vint en pensée qu'elles serviraient bien de campanes[4] au col de sa jument, laquelle il voulait renvoyer à son père, toute chargée de fromages de Brie et de harengs frais. De fait, les emporta en son logis.

Cependant vint un commandeur jambonnier[5] de saint Antoine, pour faire sa quête suille[6], lequel, pour se faire entendre de loin et faire trembler le lard au charnier[7], les voulut emporter furtivement, mais par honnêteté les laissa, non parce qu'elles étaient trop chaudes, mais parce qu'elles étaient quelque peu trop pesantes à la portée. Cil[8] ne fut pas celui de Bourg, car il est trop de mes amis.

Toute la ville fut émue en sédition, comme vous savez qu'à ce ils sont tant faciles que les nations étranges[9] s'ébahissent de la patience des rois de France, lesquels autrement par bonne justice ne les refrènent, vus les inconvénients qui en sortent de jour en jour. Plût à Dieu que je susse l'officine en laquelle sont forgés ces schismes et monopoles[10], pour les

---

1. A la suite de quoi; 2. La pauvreté des gentilshommes de Beauce était légendaire; 3. *Es :* dans les; 4. Clochettes (mot provençal); 5. Moines quêteurs de l'ordre de Saint-Antoine. Ils recevaient de la charcuterie en offrande; 6. De cochon (adjectif formé sur *sus*); 7. Placard ou récipient qui sert à conserver les salaisons; 8. *Cil :* ce; 9. Etrangères; 10. Complots.

mettre en évidence ès confréries de ma paroisse! Croyez que le lieu auquel convint[1] le peuple, tout folfré[2] et habaliné[3], fut Sorbonne[4] où lors était, maintenant n'est plus, l'oracle de Lutèce. Là fut proposé le cas, et remontré l'inconvénient des cloches transportées[5].

Après avoir bien ergoté *pro et contra*, fut conclu en *baralipton*[6] que l'on enverrait le plus vieux et suffisant[7] de la Faculté vers Gargantua, pour lui remontrer l'horrible inconvénient de la perte d'icelles cloches; et nonobstant la remontrance d'aucuns[8] de l'Université, qui alléguaient que cette charge mieux compétait à un orateur[9] qu'à un théologien[10], fut à cet affaire élu notre maître[11] Janotus de Bragmardo.

Chapitre XVIII

[Gargantua décide de rendre immédiatement les cloches, mais à l'insu de maître Janotus, dont il veut entendre la harangue.]

Chapitre XIX

LA HARANGUE DE MAÎTRE JANOTUS DE BRAGMARDO FAITE À GARGANTUA POUR RECOUVRER LES CLOCHES

« Ehen, hen, hen! *Mna dies*[12], monsieur, *mna dies*, *et vobis*, messieurs. Ce ne serait que bon que nous rendissiez nos cloches, car elles nous font bien besoin. Hen, hen, hasch! Nous en avions bien autrefois refusé de bon argent de ceux de Londres en Cahors, si avions-nous[13] de ceux de Bordeaux en Brie, que[14] les voulaient acheter pour la substantifique[15] qualité de la complexion élémentaire qu'est intronifiquée[16] en la terrestérité[17] de leur nature quidditative[18] pour extranéiser[19] les halos[20] et les turbines[21] sur nos vignes, vraiment

1. Se rassembla; 2. Affolé; 3. Bouleversé; 4. Remplacé dans les éditions postérieures par *Nesle* (tribunal de l'Université); 5. Latinisme : du transport des cloches; 6. Mot mnémotechnique, qui sert à retrouver les figures du syllogisme; 7. Capable (également au superlatif); 8. *Aucuns :* certains; 9. Maître de la faculté des Arts (professeur de rhétorique); 10. Remplacé dans les éditions suivantes par *sophiste* ; 11. Titre officiel des docteurs en théologie (M. N.); 12. *Mna* (bona) *dies :* bonjour. L'orateur avale la moitié des mots; 13. Et également nous en avions refusé...; 14. *Que :* qui; 15. Nourrissante (caricature du jargon scolastique); 16. Intronisée; 17. Qualité terrestre; 18. Essentielle; 19. Écarter; 20. Pluies; 21. Trombes. On sonne les cloches pour dissiper les orages.

non pas nôtres, mais d'ici auprès, car si nous perdons le piot, nous perdons tout, et sens et loi[1].

« Si vous nous les rendez à ma requête, j'y gagnerai six pans[2] de saucisses et une bonne paire de chausses qui me feront grand bien à mes jambes; ou ils ne me tiendront pas promesse. Ho! par Dieu, *Domine*, une paire de chausses est bon, *et vir sapiens non abhorrebit eam*[3]. Ha! ha! Il n'a pas paire de chausses qui veut. Je le sais bien, quant est de moi. Avisez, *Domine* : il y a dix-huit jours que je suis à mata-graboliser[4] cette belle harangue. *Reddite quæ sunt Cæsaris Cæsari, et quæ sunt Dei Deo*[5]. *Ibi jacet lepus*[6]. Par ma foi, *Domine*, si voulez souper avec moi *in camera*[7], par le corps Dieu! *charitatis, nos faciemus bonum cherubin*[8]. *Ego occidi unum porcum, et ego habeo bon vino*[9]. Mais de bon vin on ne peut faire mauvais latin. Or sus, *de parte Dei, date nobis clochas nostras*. Tenez, je vous donne de par la Faculté *un sermones de Utino*[10], *que*[11], *utinam*, vous nous baillez nos cloches. *Vultis etiam pardonos? Per diem, vos habebitis et nihil payabitis*[12].

« O monsieur! *Domine, clochi dona minor nobis*. *Dea*[13], *est bonum urbis*[14]. Tout le monde s'en sert. Si votre jument s'en trouve bien, aussi fait notre Faculté, *quæ comparata est jumentis insipientibus, et similis facta est eis*, *Psalmo nescio quo*[15] — si l'avais-je bien coté[16] en mon paperat[17] — *et sumus bonum Achilles*[18]. Hen, hen, ehen, hasch!

« Ça je vous prouve que me les devez bailler. *Ego sic argumentor. Omnis clocha clochabilis in clocherio clochando clochans clochativo clochare facit clochabiliter clochantes. Parissius habet clochas. Ergo gluc*[19]. Ha, ha, ha, c'est parlé cela! Il est *in tertio primæ*, en *Darii*[20] ou ailleurs. Par mon âme, j'ai

---

1. Jeux de mots : redevances féodales; 2. Empans (24 centimètres); 3. Parodie d'un verset de l'Écclésiaste : « Et le sage ne se détourna point d'elle »; 4. Méditer profondément; 5. Ici commence un pot-pourri de citations sacrées, de proverbes, de phrases macaroniques. « Rendez à César ce qui est à César, et à Dieu ce qui est à Dieu » (Évangile, saint Luc, xx, 25); 6. Ici gît le lièvre : c'est le point capital; 7. L'hôtellerie du couvent (la chambre de charité); 8. Nous ferons bonne chère, en argot d'étudiant; 9. J'ai tué un cochon, et j'ai du bon vin; 10. Un prédicateur célèbre était d'*Udine*. Rapprochement plaisant avec *utinam* (plût au Ciel); 11. Pourvu que; 12. Voulez-vous des indulgences ? Pardi! Vous en aurez, et sans payer. Allusion brûlante à une question disputée; 13. Vraiment; 14. C'est la propriété de la ville; 15. « Que l'on a comparée à des bêtes de somme sans raison, et qui leur est devenue semblable », tiré du psaume je ne sais plus combien (psaume XLVIII); 16. Noté; 17. Feuille de papier; 18. Et c'est un argument invincible comme Achille; 19. Formule de conclusion; 20. Mon syllogisme est dans le troisième mode de la première question, dans la formule *Darii*.

vu le temps que je faisais diables[1] d'arguer. Mais de présent je ne fais plus que rêver, et ne me faut plus dorénavant que bon vin, bon lit, le dos au feu, le ventre à table et écuelle bien profonde. Hé, *Domine*, je vous prie, *in nomine Patris et Filii et Spiritus sancti, amen*, que vous rendez nos cloches, et Dieu vous gard'de mal et Notre-Dame de Santé[2], *qui vivit et regnat per omnia secula seculorum, amen*. Hen he hasch, asch, grenhenhasch!

« *Verum enim vero, quando quidem, dubio procul, edepol, quoniam, ita, certe, meus Deus fidus*[3] une ville sans cloches est comme un aveugle sans bâton, un âne sans croupière, et une vache sans cymbales[4]. Jusques à ce que nous les ayez rendues, nous ne cesserons de crier après vous comme un aveugle qui a perdu son bâton, de brailler comme un âne sans croupière, et de brâmer comme une vache sans cymbales. Un quidam latinisateur, demeurant près l'Hôtel-Dieu, dit une fois, alléguant l'autorité d'un Taponnus (je faux[5], c'était Pontanus[6], poète séculier) qu'il désirait qu'elles fussent de plume et le batail[7] fût d'une queue de renard, pour ce qu'elles lui engendraient la chronique[8] aux tripes du cerveau quand il composait ses vers carminiformes[9]. Mais nac petetin petetac, ticque, torche, lorgne[10], il fut déclaré hérétique : nous les faisons comme de cire[11]. Et plus n'en dit le déposant. *Valete et plaudite. Calepinus recensui*[12]. »

Chapitre XX

[Janotus reçoit de Gargantua de nombreux cadeaux.]

Chapitre XXI

173

L'ÉTUDE DE GARGANTUA SELON LA DISCIPLINE DE SES PROFESSEURS SORBONAGRES[13]

Les premiers jours ainsi passés et les cloches remises en leur lieu, les citoyens de Paris, par reconnaissance de cette honnêteté, s'offrirent d'entretenir et nourrir sa jument tant

1. Merveilles; 2. Invocation sous laquelle la Vierge était vénérée dans le Midi; 3. Accumulation de particules logiques et d'interjections; 4. Sonnailles; 5. Je fais erreur; 6. J. Pontan, savant italien, célèbre par son aversion pour les cloches; 7. Battant; 8. La colique; 9. *Carminiformes* (adjectif pléonastique) : en forme de vers *(carmina)* ; 10. Onomatopées qui miment la lutte; 11. Aussi facilement qu'on modèle la cire; 12. Trois finales disparates : d'une déposition en justice, d'une comédie latine, d'une copie de manuscrit. *Calepin*, moine italien, auteur d'un dictionnaire célèbre; 13. Editions suivantes : sophistes.

qu'il lui plairait — ce que Gargantua prit bien à gré —, et l'envoyèrent vivre en la forêt de Bière[1]. Je crois qu'elle n'y soit plus maintenant.

Ce fait, voulut de tout son sens étudier à la discrétion de Ponocrates. Mais icelui, pour le commencement, ordonna qu'il ferait à sa manière accoutumée, afin d'entendre par quel moyen, en si long temps, ses antiques précepteurs l'avaient rendu tant fat[2], niais et ignorant.

Il dispensait donc son temps en telle façon que, ordinairement, il s'éveillait entre huit et neuf heures, fût jour ou non; ainsi l'avaient ordonné ses régents théologiques, alléguants ce que dit David : *vanum est vobis ante lucem surgere*[3]. Puis se gambayait[4], penadait[5], et paillardait[6] parmi[7] le lit quelque temps, pour mieux esbaudir ses esprits animaux, et s'habillait selon la saison, mais volontiers portait-il une grande et longue robe de grosse frise, fourrée de renards; après se peignait du peigne d'Almain[8], c'était des quatre doigts et le pouce, car ses précepteurs disaient que soi autrement peigner, laver et nettoyer était perdre temps en ce monde.

Puis fientait, pissait, rendait sa gorge[9], rotait, pétait, baîllait, crachait, toussait, sanglotait, éternuait et se morvait en archidiacre, et déjeunait pour abattre la rosée et mauvais air : belles tripes frites, belles carbonnades, beaux jambons, belles cabirotades[10], et force soupes de prime[11]. Ponocrates lui remontrait que tant soudain ne devait repaître au partir du lit, sans avoir premièrement fait quelque exercice. Gargantua répondit :

« Quoi ? N'ai-je fait suffisant exercice ? Je me suis vautré six ou sept tours parmi le lit devant que me lever. N'est-ce assez ? Le pape Alexandre ainsi faisait par le conseil de son médecin juif, et vécut jusques à la mort, en dépit des envieux. Mes premiers maîtres m'y ont accoutumé, disants que le déjeuner faisait bonne mémoire; pourtant[12] y buvaient les premiers. Je m'en trouve fort bien, et n'en dîne que mieux.

---

1. Forêt de Fontainebleau; 2. Stupide (latin *fatuus* : fou); 3. « Il ne sert à rien de vous lever avant le jour. » Verset du psaume CXXVII, souvent détourné de son sens. Plaisanterie : en toute saison, il fait jour à huit heures du matin; 4. Gambadait; 5. Piaffait (gascon), sautait comme un mouton; 6. Se roulait sur la paillasse; 7. Dans *(per medium)* ; 8. Jeu de mots. Au début du XVIe siècle, un professeur parisien s'était appelé Jacques Almain; 9. Vomissait (terme de fauconnerie); 10. Grillade de chevreau; 11. Tranches de pain trempées dans du bouillon et qu'on mangeait dans les couvents à l'heure de *prime* (office liturgique récité à six heures du matin); 12. En conséquence.

Et me disait maître Tubal, qui fut premier de sa licence à Paris, que ce n'est tout l'avantage de courir bien tôt, mais bien de partir de bonne heure; aussi n'est-ce la santé totale de notre humanité boire à tas, à tas, à tas, comme canes, mais oui bien de boire matin; *unde versus*[1] :

> Lever matin n'est point bonheur;
> Boire matin est le meilleur. »

Après avoir bien à point déjeuné, allait à l'église, et lui portait-on, dedans un grand panier, un gros bréviaire empantouflé[2], pesant, tant en graisse qu'en fermoirs et parchemin, poi plus poi moins[3], onze quintaux six livres. Là oyait[4] vingt et six ou trente messes. Cependant venait son diseur d'heures en place[5] empaletoqué[6] comme une dupe[7], et très bien antidoté son haleine à force sirop vignolat[8]. Avec icelui marmonnait toutes ces kyrielles, et tant curieusement[9] les épluchait qu'il n'en tombait un seul grain en terre. Au partir de l'église, on lui amenait, sur une traine[10] à bœufs, un farat[11] de patenôtres[12] de Saint-Claude aussi grosses chacune qu'est le moule d'un bonnet, et, se promenant par les cloîtres, galeries ou jardin, en disait plus que seize ermites.

Puis étudiait quelque méchante demie heure, les yeux assis dessus son livre; mais, comme dit le Comique[13], son âme était en la cuisine.

[...] S'asseyait à table, et parce qu'il était naturellement flegmatique, commençait son repas par quelques douzaines de jambons, de langues de bœuf fumées, de boutargues[14], d'andouilles, et tels autres avant-coureurs de vin. Cependant quatre de ses gens lui jetaient en la bouche l'un après l'autre, continûment, moutarde à pleines palerées[15], puis buvait un horrifique trait de vin blanc pour lui soulager les rognons. Après, mangeait, selon la saison, viandes à son appétit, et lors cessait de manger quand le ventre lui tirait. A boire n'avait point fin ni canon[16], car il disait que les mètes[17] et

---

1. « D'où les vers... » Formule classique pour introduire une citation; 2. Enveloppé dans son sac comme un pied d'une pantoufle; 3. Un peu plus un peu moins. En parlant d'un animal, on dit : pesant tant en graisse qu'en viande. Ici, la graisse désigne la crasse; 4. Entendait (ouïr; futur, j'orrai); 5. Lecteur au titre du livre de prières; 6. Enveloppé dans son paletot; 7. Huppe; 8. De vigne, vin; 9. Soigneusement; 10. Char primitif, servant au transport du bois; 11. Tas; 12. Chapelets. Saint-Claude (Jura) avait la spécialité des objets en bois travaillé; 13. Allusion à un mot de Térence : « *Animus est in patinis* »; 14. Sorte de caviar; 15. Pelletées; 16. Règle; 17. Limites (latinisme).

bornes de boire étaient quand, la personne buvant, le liège de ses pantoufles enflait en haut d'un demi-pied.

Chapitre XXII

[Longue liste des jeux auxquels Gargantua s'amuse.]

Chapitre XXIII

COMMENT GARGANTUA FUT INSTITUÉ[1] PAR PONO-CRATES EN TELLE DISCIPLINE QU'IL NE PERDAIT HEURE DU JOUR

Quand Ponocrates connut la vicieuse manière de vivre de Gargantua, délibéra autrement l'instituer en lettres; mais, pour les premiers jours, le toléra, considérant que Nature n'endure mutations soudaines sans grande violence.

Pour donc mieux son œuvre commencer, supplia un savant médecin de celui temps, nommé maître Théodore[2] à ce qu'il considérât si possible était remettre Gargantua en meilleure voie. Lequel le purgea canoniquement[3] avec ellébore d'Anticyre, et, par ce médicament, lui nettoya toute l'altération et perverse habitude du cerveau. Par ce moyen aussi, Ponocrates lui fit oublier tout ce qu'il avait appris sous ses antiques précepteurs, comme faisait Thimoté à ses disciples, qui avaient été instruits sous autres musiciens.

Pour mieux ce faire, l'introduisait ès compagnies des gens savants que[4] là étaient, à l'émulation desquels lui crût l'esprit et le désir d'étudier autrement et se faire valoir.

Après, en tel train d'étude le mit qu'il ne perdait heure quelconque du jour : ains[5] tout son temps consommait en lettres et honnête savoir.

S'éveillait donc Gargantua environ quatre heures du matin. Cependant qu'on le frottait, lui était lue quelque pagine[6] de la divine Ecriture[7] hautement et clairement, avec prononciation compétente à la matière, et à ce était commis un jeune page, natif de Basché[8], nommé Anagnostes[9]. Selon le propos et argument de cette leçon, souventes fois s'adonnait à révérer, adorer, prier et supplier le bon Dieu, duquel

1. Instruit; 2. Dieudonné; 3. Selon les règles; 4. Qui; 5. Mais; 6. Page; 7. Cette lecture remplace les vingt-six messes de Gargantua; 8. Commune d'Indre-et-Loire (arrondissement de Chinon). Cf. livre IV, chap. XII-XV; 9. Nom grec signif. *lecteur*.

la lecture montrait la majesté et jugements merveilleux.

Puis allait ès lieux secrets faire excrétion des digestions naturelles. Là son précepteur répétait ce qu'avait été lu, lui exposant les points plus obscurs et difficiles[1]. Eux retournants[2], considéraient l'état du ciel, si tel était comme l'avaient noté au soir précédent, et quels signes entrait[3] le soleil, aussi la lune, pour icelle journée.

Ce fait, était habillé, peigné, testonné[4], accoutré[5] et parfumé, durant lequel temps on lui répétait les leçons du jour d'avant. Lui-même les disait par cœur et y fondait quelques cas pratiques et concernants l'état humain, lesquels ils étendaient aucunes[6] fois jusque deux ou trois heures, mais ordinairement cessaient lorsqu'il était du tout[7] habillé. Puis par trois bonnes heures lui était faite lecture.

Ce fait, issaient[8] hors, toujours conférants des propos de la lecture, et se déportaient[9] en Bracque[10], ou ès prés, et jouaient à la balle, à la paume, à la pile trigone[11], galantement[12] s'exerçants les corps comme ils avaient les âmes auparavant exercé. Tout leur jeu n'était qu'en liberté, car ils laissaient la partie quand leur plaisait, et cessaient ordinairement lorsque suaient parmi le corps, ou étaient autrement las. Adonc[13] étaient très bien essuyés et frottés, changeaient de chemise, et, doucement se promenants, allaient voir si le dîner était prêt. Là attendants, récitaient clairement et éloquemment quelques sentences retenues de la leçon.

Cependant Monsieur l'Appétit venait, et par bonne opportunité s'asseyaient à table. Au commencement du repas, était lue quelque histoire plaisante des anciennes prouesses[14], jusques à ce qu'il eût pris son vin. Lors, si bon semblait, on continuait la lecture, ou commençaient à deviser joyeusement ensemble, parlants, pour les premiers mois, de la vertu, propriété, efficace[15] et nature de tout ce que leur était servi à table : du pain, du vin, de l'eau, du sel, des viandes, poissons, fruits, herbes, racines, et de l'apprêt d'icelles. Ce que faisant, apprit en peu de temps tous les

---

1. Aucune irrévérence. Il s'agit de ne perdre aucune minute ; 2. Les cabinets sont donc hors du logis ; 3. *Entrer* est transitif ; construction fréquente chez Rabelais ; 4. Coiffé ; 5. Arrangé, ajusté ; 6. Quelques ; 7. Complètement ; 8. Sortaient (imparf. du verbe *issir*) ; 9. Se divertissaient, faisaient du *sport* (cf. desport) ; 10. Place de l'Estrapade (jeu de paume) ; 11. Jeu de la balle en triangle (trigon), à trois joueurs ; 12. Gaillardement ; 13. Alors ; 14. Les romans de chevalerie ; 15. Efficacité.

passages à ce compétants en Pline, Athénée, Dioscorides, Julius Pollux, Galien, Porphyre, Oppian, Polybe, Héliodore, Aristotèles, Elian et autres. Iceux propos tenus, faisaient souvent, pour plus être assurés, apporter les livres susdits à table. Et si bien et entièrement retint en sa mémoire les choses dites, que, pour lors, n'était médecin qui en sut à la moitié tant comme il faisait. Après, devisaient des leçons lues au matin, et, parachevant leur repas par quelque confection[1] de cotoniat[2], s'écurait les dents avec un trou[3] de lentisque, se lavait les mains et les yeux de belle eau fraîche et rendaient grâces à Dieu par quelques beaux cantiques faits à la louange de la munificence et bénignité divine.

Ce fait, on apportait des cartes, non pour jouer, mais pour y apprendre mille petites gentillesses et inventions nouvelles, lesquelles toutes issaient d'arithmétique. En ce moyen entra en affection d'icelle science numérale, et, tous les jours après dîner et souper, y passait temps aussi plaisantement qu'il soulait[4] ès dés ou ès cartes. A tant[5] sut d'icelle et théorique et pratique, si bien que Tunstal, Anglais qui en avait amplement écrit, confessa que vraiment, en comparaison de lui, il n'y entendait que le haut allemand.

Et non seulement d'icelle, mais des autres sciences mathématiques comme géométrie, astronomie et musique; car, attendants la concoction[6] et digestion de son past[7], ils faisaient mille joyeux instruments et figures géométriques, et de même pratiquaient les canons[8] astronomiques. Après s'esbaudissaient à chanter musicalement à quatre et cinq parties, ou sur un thème, à plaisir de gorge. Au regard des instruments de musique, il apprit jouer du luc[9], de l'épinette[10], de la harpe, de la flûte d'allemand et à neuf trous, de la viole et de la sacquebutte[11].

Cette heure ainsi employée, la digestion parachevée, se purgeait des excréments naturels; puis se remettait à son étude principal par trois heures ou davantage, tant à répéter la lecture matutinale qu'à poursuivre le livre entrepris, qu'aussi à écrire et bien traire[12] et former les antiques et romaines lettres[13].

---

1. Confiture; 2. Cotignac: coings; 3. Tronc ou trognon; 4. Avait l'habitude; 5. Là-dessus; 6. Digestion (latinisme); 7. Repas; 8. Se familiarisaient avec les lois; 9. Luth (à huit cordes); 10. Instrument à clavier; 11. Sorte de violon à cordes et à archet, en grande vogue au XVIᵉ siècle; 12. Tracer; 13. Les caractères gothiques et italiens. La calligraphie est le seul exercice écrit de Gargantua.

Ce fait, issaient[1] hors leur hôtel, avec eux un jeune gentilhomme de Touraine nommé l'écuyer Gymnaste, lequel lui montrait l'art de chevalerie. Changeant donc de vêtements, montait sur un coursier[2], sur un roussin[3], sur un genet[4], sur un cheval barbe[5], cheval léger, et lui donnait cent carrières[6], le faisait voltiger en l'air, franchir le fossé, sauter le palis[7], court tourner en un cercle, tant à dextre comme à senestre. Là rompait, non la lance, car c'est la plus grande rêverie du monde dire : « J'ai rompu dix lances en tournoi ou en bataille », un charpentier le ferait bien ; mais louable gloire est d'une lance avoir rompu dix de ses ennemis. De sa lance donc, acérée[8], verte[9] et raide, rompait un huis, enfonçait un harnais[10], aculait[11] une arbre, enclavait[12] un anneau, enlevait une selle d'armes, un haubert, un gantelet. Le tout faisait armé de pied en cap. [...]

Nageait en parfonde[13] eau, à l'endroit, à l'envers, de côté, de tout le corps, des seuls pieds, une main en l'air, en laquelle tenant un livre transpassait toute la rivière de Seine sans icelui mouiller, et tirant par les dents son manteau comme faisait Jules César[14]. [...]

Jetait le dard, la barre, la pierre, la javeline, l'épieu, la hallebarde, enfonçait[15] l'arc, bandait ès reins[16] les fortes arbalètes de passe[17], visait de l'arquebuse à l'œil[18], affûtait[19] le canon, tirait à la butte, au papegai[20], du bas en mont, d'amont en val[21], devant, de côté, en arrière comme les Parthes.

On lui attachait un câble en quelque haute tour, pendant en terre : par icelui avec deux mains montait, puis dévalait si raidement et si assurément que plus ne pourriez parmi un pré bien égalé[22]. On lui mettait une grosse perche appuyée à deux arbres ; à icelle se pendait par les mains, et d'icelle allait et venait, sans des pieds à rien toucher, qu'à grande course on ne l'eût pu aconcevoir[23]. [...]

Le temps ainsi employé, lui frotté, nettoyé et rafraîchi

1. Cf. p. 41, note 8 ; 2. Cheval de lance et de guerre ; 3. Cheval de charge ; 4. Cheval de race espagnole, bon coureur ; 5. Cheval de race berbère ; 6. *Carrière* : course qu'un cheval fournit d'une seule haleine dans la carrière du manège ; 7. La palissade ; 8. A la pointe d'acier — ou simplement : pointue ; 9. Solide ; 10. Armure, en général ; 11. Faisait tomber ; 12. Enfilait ; 13. Profonde. Cf le *parfond :* le fond le plus bas ; 14. Allusion à une prouesse rapportée par Plutarque, dans sa vie de Jules César ; 15. Tendait à fond ; 16. A la force des reins ; 17. Ces arbalètes sont de vraies machines de siège et sont manœuvrées par des treuils ; 18. L'arquebuse est une arme lourde qu'on appuie sur un pied pour le tir. Seul un géant peut l'épauler ; 19. Disposait sur un affût ; 20. Perroquet ; 21. De bas en haut, de haut en bas ; 22. Nivelé ; 23. Atteindre.

d'habillements[1], tout doucement retournait, et, passants par quelques prés, ou autres lieux herbus, visitaient les arbres et plantes, les conférants avec les livres des anciens qui en ont écrit, comme Théophraste, Dioscorides, Marinus, Pline, Nicander, Macer et Galien, et en emportaient leurs pleines mains au logis, desquelles avait la charge un jeune page nommé Rhizotome[2], ensemble[3] des marrochons[4], des pioches, serfouettes[5], bêches, tranches[6] et autres instruments requis à bien arboriser[7].

Eux arrivés au logis, cependant qu'on apprêtait le souper, répétaient quelques passages de ce qu'avait été lu et s'asseyaient à table. Notez ici que son dîner était sobre et frugal, car tant seulement mangeait pour réfréner les abois de l'estomac; mais le souper était copieux et large, car tant en prenait que lui était de besoin à soi entretenir et nourrir, ce qu'est la vraie diète[8] prescrite par l'art de bonne et sûre médecine, quoiqu'un tas de badauds médecins, herselés[9] en l'officine[10] des Arabes[11], conseillent le contraire.

Durant icelui repas était continuée la leçon du dîner tant que bon semblait : le reste était consommé[12] en bons propos, tous lettrés et utiles. Après grâces rendues[13], s'adonnaient à chanter musicalement, à jouer d'instruments harmonieux, ou de ces petits passe-temps qu'on fait ès cartes, ès dés et gobelets[14] et là demeuraient faisants grand'chère, et s'ébaudissants aucunes fois jusques à l'heure de dormir; quelquefois allaient visiter les compagnies de gens lettrés, ou de gens qui eussent vu pays étranges[15].

En pleine nuit, devant que soi retirer, allaient au lieu de leur logis le plus découvert voir la face du ciel, et là notaient les comètes, si aucunes étaient[16], les figures, situations, aspects[17], oppositions et conjonctions des astres.

Puis, avec son précepteur, récapitulait brièvement, à la mode des Pythagoriques[18] tout ce qu'il avait lu, vu, su, fait et entendu au décours[19] de toute la journée.

1. Revêtu de vêtements frais, ayant changé d'habits; 2. Nom grec symbolique : Coupeur de racines; 3. *Ensemble* (préposition) : avec; 4. Petites houes; 5. Nom d'outil, dérivé de serfouir : bêcher légèrement autour; 6. Tranchoirs; 7. Herboriser; 8. Régime, mot grec; 9. Harcelés, c'est-à-dire rompus à la dispute; 10. École, sans nuance péjorative (doublet de usine); 11. Aux yeux des humanistes, les médecins arabes représentaient la routine. L'édition de 1542 substitue *sophistes* à Arabes; 12. Utilisé entièrement; 13. Prière de remerciement, qui clôt le repas; 14. Sans doute, les cornets qui servent à lancer les dés; 15. Étrangers; 16. S'il y en avait quelques-unes; 17. Position de deux astres, l'un par rapport à l'autre; 18. D'après Cicéron, dans son traité *De la vieillesse*; 19. Cours.

Si[1] priaient Dieu le créateur, en l'adorant et ratifiant[2] leur foi envers lui, et le glorifiant de sa bonté immense, et, lui rendants grâce de tout le temps passé, se recommandaient à sa divine clémence pour tout l'avenir. Ce fait entraient en leur repos.

Chapitre XXIV

[Quand le temps est pluvieux, les exercices de plein air sont remplacés par des visites aux artisans, aux boutiquiers, au Palais de Justice. Les repas sont moins copieux.]

Chapitre XXV

COMMENT FUT MU ENTRE LES FOUACIERS[3] DE LERNÉ[4] ET CEUX DU PAYS DE GARGANTUA LE GRAND DÉBAT DONT FURENT FAITES GROSSES GUERRES

En cetui temps, qui fut la saison de vendanges au commencement d'automne, les bergers de la contrée étaient à garder les vignes, et empêcher que les étourneaux ne mangeassent les raisins. Onquel[5] temps, les fouaciers de Lerné passaient le grand carroi[6], menant dix ou douze charges de fouaces à la ville. Les dits bergers les requirent courtoisement leur en bailler pour leur argent, au prix[7] du marché. Car notez que c'est viande[8] céleste manger à déjeuner raisins avec fouace fraîche, mêmement[9] des pineaux, des fiers, des muscadeaux, de la bicane. [...]

A leur requête ne furent aucunement enclinés[10] les fouaciers, mais, que pis est, les outragèrent grandement, les appelants trop d'iteux[11], brèche-dents[12] [...] et autres telles épithètes diffamatoires, ajoutants que point à eux n'appartenait manger de ces belles fouaces, mais qu'ils se devaient contenter de gros pain ballé[13] et de tourte[14].

Auquel outrage un d'entre eux, nommé Frogier, bien honnête homme de sa personne et notable bachelier[15],

1. Latin *sic :* et ainsi; particule de sens très atténué; 2. Confirmant; 3. Marchands de fouaces. La fouace est une sorte de galette de froment; 4. Canton de Chinon (Indre-et-Loire). Le père de Rabelais était sénéchal de Lerné; 5. Auquel. On sait que *on* est pour *en le*, singulier de *ès*, pour *en les*; 6. Carrefour (et quelquefois, chemin); 7. Au cours du marché; 8. Aliment; 9. Et notamment — suit une série de noms angevins, désignant des cépages blancs et rouges; 10. Inclinés; 11. Pauvres diables; littéralement : des gens comme il y en a trop; 12. Édentés; 13. Pain de qualité inférieure, fait avec de la farine contenant encore la balle; 14. Grand pain de forme circulaire; 15. Jeune garçon.

répondit doucement : « Depuis quand avez-vous pris cornes[1] qu'êtes tant rogues[2] devenus ? Dea[3], vous nous en souliez[4] volontiers bailler et maintenant y refusez. Ce n'est fait de bons voisins, et ainsi ne vous faisons, nous, quand venez ici acheter notre beau froment, duquel vous faites vos gâteaux et fouaces. Encore par le[5] marché vous eussions-nous donné de nos raisins ; mais, par la mer Dé[6] vous en pourriez repentir, et aurez quelque jour affaire de nous. Lors nous ferons envers vous à la pareille, si vous en souvienne. »

Adonc Marquet, grand bâtonnier[7] de la confrérie des fouaciers, lui dit : « Vraiment, tu es bien acrêté[8] à ce matin ; tu mangeas hier soir trop de mil[9]. Viens ça, viens ça, je te donnerai de ma fouace. » Lors Frogier en toute simplesse[10] approcha, tirant un onzain[11] de son baudrier, pensant que Marquet lui dût dépocher[12] de ses fouaces, mais il lui bailla de son fouet à travers les jambes si rudement que les nœuds y apparaissaient ; puis voulut gagner à la fuite[13]. Mais Frogier s'écria au meurtre et à la force tant qu'il put, ensemble[14] lui jeta un gros tribard[15] qu'il portait sous son aisselle, et l'atteint par la jointure coronale de la tête, sur l'artère crotaphique[16], du côté dextre, en telle sorte que Marquet tomba de sa jument ; mieux semblait homme mort que vif.

Cependant les métayers, qui là auprès challaient[17] les noix, accoururent avec leurs grandes gaules, et frappèrent sur ces fouaciers comme sur seigle vert. Les autres bergers et bergères, oyants le cri de Frogier, y vinrent avec leurs fondes[18] et brassiers[19], et les suivirent à grands coups de pierres, tant menus qu'il semblait que ce fût grêle. Finalement, les aconçurent[20] et otèrent de leurs fouaces environ quatre ou cinq douzaines, toutefois ils les payèrent au prix accoutumé, et leur donnèrent un cent de quecas[21] et trois panerées de francs-aubiers[22]. Puis les fouaciers aidèrent à monter Marquet, qui était vilainement blessé, et retour-

1. Depuis combien de temps les cornes vous ont-elles poussé ? c'est-à-dire : de veau que vous étiez, êtes-vous devenus taureaux ? 2. Arrogants, agressifs ; 3. Vraiment : cri de surprise et d'indignation ; 4. Aviez coutume ; 5. En vertu du ; 6. Par la mère de Dieu ; 7. Celui qui portait aux processions le bâton d'une confrérie. Sur le bâton était taillée l'effigie du saint, patron de la confrérie ; 8. Effronté — comme un coq dont la crête se dresse ; 9. Les coqs qui ont mangé du mil (millet) deviennent combatifs ; 10. Simplicité ; 11. Pièce de onze deniers. L'argent se serre dans une ceinture de cuir, ou baudrier ; 12. Sortir du sac ; 13. Se sauver ; 14. En même temps ; 15. Grosse trique ; 16. Temporale. Rabelais affecte ici la précision médicale ; 17. Écalaient (c'est-à-dire faisaient sortir les noix de leur écorce, avec des gaules qui les faisaient tomber de l'arbre) ; 18. Frondes ; 19. Triques ? peut-être frondes, portées au bras ; 20. Atteignirent ; 21. Noix (dialecte) ; 22. Variété de raisin blanc.

nèrent à Lerné sans poursuivre le chemin de Parillé, mena-
çants fort et ferme les bouviers, bergers et métayers de
Seuillé et de Sinais.

Ce fait, et bergers et bergères firent chère lie[1] avec ces
fouaces et beaux raisins, et se rigolèrent[2] ensemble au son
de la belle bousine[3], se moquants de ces beaux fouaciers
glorieux, qui avaient trouvé malencontre par faute de s'être
signés de la bonne main au matin[4]. Et avec gros raisins
chenins[5] étuvèrent[6] les jambes de Frogier mignonnement,
si bien qu'il fut tantôt guéri.

Chapitre XXVI

[Les gens de Picrochole envahissent le domaine de Gargantua.]

Chapitre XXVII

COMMENT UN MOINE DE SEUILLÉ SAUVA LE CLOS DE L'ABBAYE DU SAC DES ENNEMIS

Tant firent et tracassèrent[7], pillant et larronnant, qu'ils
arrivèrent à Seuillé, et détroussèrent hommes et femmes, et
prirent ce qu'ils purent : rien ne leur fut ni trop chaud ni
trop pesant. Combien que[8] la peste y fut par la plus grande
part des maisons, ils entraient partout, ravissaient tout ce
qu'était dedans, et jamais nul n'en prit danger, qui est cas
assez merveilleux : car les curés, vicaires, prêcheurs, médecins, chirurgiens et apothicaires, qui allaient visiter, panser,
guérir, prêcher et admonester les malades, étaient tous morts
de l'infection, et ces diables pilleurs et meurtriers onques
n'y prirent mal. Dont vient cela, messieurs ? Pensez-y, je
vous prie.

Le bourg ainsi pillé, se transportèrent en l'abbaye avec
horrible tumulte, mais la trouvèrent bien resserrée[9] et fermée, dont[10] l'armée principale marcha outre vers le gué de
Vède, exceptés sept enseignes[11] de gens de pied et deux cents
lances[12] qui là restèrent et rompirent les murailles du clos
afin de gâter toute la vendange.

---

1. Joyeuse ripaille ; **2.** Se divertirent ; **3.** Cornemuse ; **4.** Ils avaient fait le
signe de croix de la main gauche — ce qui porte malheur ; **5.** Variété de raisin
blanc et noir (raisin qui plaît aux chiens) ; **6.** Baignèrent ; **7.** Se démenèrent ;
8. Quoique ; **9.** Verrouillée ; **10.** A la suite de quoi ; **11.** Bandes ou compagnies :
la troupe dont une enseigne forme le centre de ralliement ; **12.** Le chevalier armé
de la lance, et les hommes de sa suite.

Les pauvres diables de moines ne savaient auquel de leurs saints se vouer. A toutes aventures firent sonner *ad capitulum capitulantes*[1]. Là fut décrété qu'ils feraient une belle procession, renforcée de beaux préchants[2] et litanies *contra hostium insidias*[3] et beaux répons *pro pace*[4].

En l'abbaye était pour lors un moine claustrier[5] nommé frère Jean des Entommeures[6], jeune, galant[7], frisque[8], de hait[9], bien à dextre[10], hardi, aventureux, délibéré, haut, maigre, bien fendu de gueule[11], bien avantagé en nez, beau dépêcheur d'heures[12], beau débrideur[13] de messes, beau décrotteur de vigiles[14], pour tout dire sommairement un vrai moine si onques en fut depuis que le monde moinant moina de moinerie[15], au reste clerc jusques ès dents[16] en matière de bréviaire.

Icelui, entendant le bruit que faisaient les ennemis par le clos de leur vigne, sortit hors pour voir ce qu'ils faisaient, et avisant qu'ils vendangeaient leur clos auquel était leur boite[17] de tout l'an fondée, retourne au chœur de l'église où étaient les autres moines, tous étonnés comme fondeurs de cloches[18], lesquels voyant chanter *ini, nim, pe, ne, ne, ne, ne, ne, ne, tum, ne, num, num, ini, i, mi, i, mi, co, o, ne, no, o, o, ne, no, ne, no, no, no, rum, ne, num, num*[19] : « C'est, dit-il, bien chien chanté. Vertus Dieu! que ne chantez-vous : « Adieu « paniers, vendanges sont faites ? » Je me donne au diable s'ils ne sont en notre clos, et tant bien coupent et ceps et raisins qu'il n'y aura, par le corps Dieu! de quatre années que halleboter[20] dedans. Ventre saint Jacques! que boirons-nous cependant, nous autres pauvres diables ? Seigneur Dieu, *da mihi potum*[21]! »

Lors dit le prieur claustral : « Que fera cet ivrogne ici ? Qu'on me le mène en prison. Troubler ainsi le service divin!

1. Au chapitre, ceux qui ont voix au chapitre; 2. Chants ou psaumes récités par le *préchantre* ou premier chantre d'une église; 3. Contre les attaques des ennemis; 4. Phrases qui se chantent après les leçons, aux offices de l'Église. Ce sont ici des supplications *pour la paix*; 5. De cloître, cloîtré; 6. Signifie : hachis. Allusion à l'humeur belliqueuse du personnage; 7. Gaillard; 8. Pimpant; 9. De bonne humeur; 10. Adroit; 11. Braillard; 12. Expédiant à la hâte ses heures, c'est-à-dire les offices du bréviaire; 13. Disant rondement sa messe; 14. Se débarrassant en un clin d'œil; 15. Allitération plaisante : depuis que le monde des moines mena la vie des moines; 16. Par analogie avec l'expression : armé jusqu'aux dents; 17. Boisson; 18. Locution fréquente au XVIe siècle. Sans doute faut-il entendre : lorsqu'ils brisent le moule et qu'ils voient la cloche manquée; 19. Suite de syllabes qui imite les modulations du plain-chant. Les mots latins chantés sont probablement : *impetum inimicorum* (l'élan des ennemis); 20. Il n'y aura pas de quoi grapiller; 21. Donne-moi à boire. Formule usuelle dans le monde des clercs.

— Mais, dit le moine, le service du vin, faisons tant qu'il ne soit troublé, car vous-même, monsieur le prieur, aimez boire du meilleur : si fait tout homme de bien. Jamais homme noble ne hait le bon vin : c'est un apophtegme[1] monacal. Mais ces répons que chantez ici ne sont, par Dieu ! point de saison. » [...]

Ce disant, mit bas son grand habit et se saisit du bâton de la croix qui était de cœur de cormier, long comme une lance, rond à plein poing, et quelque peu semé de fleurs de lys, toutes presque effacées. Ainsi sortit en beau sayon[2], mit son froc en écharpe, et de son bâton de la croix donna si brusquement sur les ennemis qui, sans ordre ni enseigne[3], ni trompette, ni tambourin, parmi le clos vandangeaient — car les portes-guidons et porte-enseignes avaient mis leur guidons[4] et enseignes l'orée[5] des murs, les tambourineurs avaient défoncé leurs tambourins[6] d'un côté pour les emplir de raisins, les trompettes étaient chargées de moussines[7], chacun était dérayé[8] — il choqua donc si raidement sur eux, sans dire gare, qu'il les renversait comme porcs, frappant à tort et à travers, à la vieille escrime[9].

Ès uns escarbouillait la cervelle, ès autres rompait bras et jambes, ès autres délochait[10] les spondyles[11] du col, ès autres démoulait[12] les reins, avalait[13] le nez, pochait les yeux, fendait les mandibules, enfonçait les dents en la gueule, décroulait[14] les omoplates, sphacelait les grèves[15], dégondait les ischies[16], débezillait[17] les faucilles[18].

Si quelqu'un se voulait cacher entre les ceps plus épais, à icelui froissait[19] toute l'arête du dos et l'éreinait[20] comme un chien.

Si aucun sauver se voulait en fuyant, à icelui faisait voler la tête en pièces par la commissure lambdoïde[21]. Si quelqu'un gravait[22] en une arbre, pensant y être en sûreté, icelui de son bâton empalait par le fondement.

Si quelqu'un de sa vieille connaissance lui criait : « Ha ! frère Jean, mon ami, frère Jean, je me rends !

1. Sentence, précepte; 2. Casaque; 3. Drapeau d'infanterie; 4. Petits drapeaux, en usage dans la cavalerie; 5. A l'orée : le long; 6. Tambours; 7. Branches de vigne chargées de feuilles et de raisins; 8. Hors de la voie; 9. Opposée aux coups plus savants de l'escrime italienne; 10. Démettait; 11. Vertèbres; 12. Disloquait; 13. Faisait tomber — en le tranchant; 14. Défonçait; 15. Meurtrissait (exactement : gangrenait) les jambes; 16. Déboîtait les hanches; 17. Mettait en pièces; 18. Les os de l'avant-bras; 19. Brisait; 20. Rompait les reins, éreintait; 21. Suture occipito-pariétale du crâne, qui a la forme d'un lambda (Λ); 22. Grimpait.

— Il t'est, disait-il, bien force; mais ensemble[1] tu rendras l'âme à tous les diables. » Et soudain lui donnait dronos[2]. [...]

Les uns mouraient sans parler, les autres parlaient sans mourir, les uns mouraient en parlant, les autres parlaient en mourant. Les autres criaient à haute voix : « Confession! confession! *Confiteor, miserere, in manus*[3]. »

Tant fut grand le cri des navrés[4], que le prieur de l'abbaye avec tous ses moines sortirent lesquels, quand aperçurent ces pauvres gens ainsi rués[5] parmi[6] la vigne et blessés à mort, en confessèrent quelques-uns. Mais, cependant que les prêtres s'amusaient[7] à confesser, les petits moinetons coururent au lieu où était frère Jean, et lui demandèrent en quoi il voulait qu'ils lui aidassent.

A quoi répondit qu'ils égorgetassent ceux qui étaient portés par terre. Adonc, laissants leurs grandes capes sur une treille au plus près, commencèrent égorgeter[8] et achever ceux qu'il avait déjà meurtris[9]. Savez-vous de quels ferrements[10]? A beaux gouvets, qui sont petits demi-couteaux dont les petits enfants de notre pays cernent les noix.

Puis, à tout[11] son bâton de croix, gagna la brèche qu'avaient fait les ennemis. Aucuns des moinetons emportèrent les enseignes et guidons en leurs chambres pour en faire des jartiers[12]. Mais quand ceux qui s'étaient confessés voulurent sortir par icelle brèche, le moine les assommait de coups, disant : « Ceux-ci sont confès[13] et repentants et ont gagné les pardons[14] : ils s'en vont en paradis aussi droit comme une faucille, et comme est le chemin de Faye[15]. » Ainsi, par sa prouesse, furent déconfits tous ceux de l'armée qui étaient entrés dedans le clos, jusques au nombre de treize mille six cents vingt et deux, sans les femmes et petits enfants, cela s'entend toujours[16]. Jamais Maugis ermite[17] ne se porta si vaillamment à[18] tout son bourdon contre les Sarrasins, desquels est écrit ès gestes des quatre fils Aymon, comme fit le moine à l'encontre des ennemis avec le bâton de la croix.

1. En même temps; 2. Coups; 3. Débuts de prières ou d'invocations liturgiques : Je confesse, Ayez pitié, En vos mains (Seigneur, je remets mon esprit); 4. Blessés. Ce sens se rencontre encore au xviie siècle; 5. Renversés; 6. Au beau milieu de; 7. S'attardaient. Amusement : retard, encore au xviie siècle; 8. Égorger çà et là; 9. Blessés à mort; 10. Outils de fer; 11. Avec; 12. Jarretières; 13. Confessés; 14. Indulgences; 15. Jeu de mots, avec *foi*. Faye est un bourg de Touraine, où l'on accède par un chemin sinueux; 16. Parodie d'une formule de l'Évangile (cf. par exemple, le récit de la multiplication des pains); 17. Cousin des quatre fils Aymon, Maugis accompagna Renaud contre les Sarrasins, et fit merveille; 18. Avec.

Phot. Larousse.

LA ROCHE-CLERMAUD AU XVIIe SIÈCLE

(Coll. Gaignières.)

Chapitre XXVIII

COMMENT PICROCHOLE PRIT D'ASSAUT LA ROCHE-
CLERMAUD[1] ET LE REGRET ET DIFFICULTÉ QUE FIT
GRANDGOUSIER D'ENTREPRENDRE GUERRE

Cependant que le moine s'escarmouchait, comme avons dit, contre ceux qui étaient entrés[2] le clos, Picrochole, à grande hâtiveté[3], passa le gué de Vède avec ses gens et assaillit la Roche-Clermaud, auquel lieu ne lui fut faite résistance quelconque, et parce qu'il était jà nuit, délibéra en icelle ville s'héberger, soi et ses gens, et rafraîchir de sa colère pungitive[4]. Au matin, prit d'assaut les boulevards[5] et château, et le rempara[6] très bien, et le pourvut de munitions requises, pensant là faire sa retraite si d'ailleurs était assailli, car le lieu était fort, et par art et par nature, à cause de la situation et assiette.

Or laissons-les là, et retournons à notre bon Gargantua, qui est à Paris, bien instant[7] à l'étude des bonnes lettres et exercitations[8] athlétiques, et le vieux bonhomme Grandgousier, son père, qui après souper se chauffe à un beau, clair et grand feu, et attendant graîler[9] des châtaignes, écrit au foyer avec un bâton brûlé d'un bout, dont on écharbotte[10] le feu, faisant à sa femme et famille de beaux contes du temps jadis.

Un des bergers qui gardaient les vignes, nommé Pillot, se transporta devers lui en icelle heure, et raconta entièrement les excès et pillages que faisait Picrochole, roi de Lerné, en ses terres et domaines, et comment il avait pillé, gâté, saccagé tout le pays, excepté le clos de Seuillé que frère Jean des Entommeures avait sauvé à son honneur, et de présent était ledit roi en la Roche-Clermaud, et là, en grande instance[11], se remparait lui et ses gens.

« Holos! holos[12]! dit Grandgousier. Qu'est ceci, bonnes gens? Songé-je[13] ou si vrai est ce qu'on me dit? Picrochole, mon ami ancien de tout temps, de toute race et alliance, me vient-il assaillir? Qui le meut? qui le point[14]? qui le conduit?

---

1. Ce château dominait toute la campagne environnante; 2. *Entrer* a quelquefois la construction transitive; 3. Hâte; 4. Qui a le caractère d'une piqûre; 5. Bastions avancés; 6. Mit en état de défense; 7. Ardent à; 8. Exercices; 9. Griller; 10. Tisonne; 11. Ardeur; 12. Hélas, forme dialectale; 13. Est-ce que je rêve?; 14. Pique.

qui l'a ainsi conseillé? Ho, ho, ho, ho, ho! mon Dieu, mon
Sauveur, aide-moi, inspire-moi, conseille-moi, à ce qu'est
de faire[1]. Je proteste[2], je jure devant toi — ainsi[3] me sois-tu
favorable! —, si jamais à lui déplaisir, ni à ses gens dommage, ni en ses terres je fis pillerie; mais bien au contraire
je l'ai secouru de gens, d'argent, de faveur et de conseil,
en tous cas qu'ai pu connaître son avantage. Qu'il m'ait
donc en ce point outragé, ce ne peut être que par l'esprit
malin. Bon Dieu, tu connais mon courage[4], car à toi rien ne
peut être celé. Si par cas il était devenu furieux[5], et que pour
lui réhabiliter[6] son cerveau, tu me l'eusses ici envoyé,
donne-moi et pouvoir[7] et savoir le rendre au joug de ton
saint vouloir par bonne discipline.

« Ho, ho, ho! mes bonnes gens, mes amis et mes féaux
serviteurs, faudra-t-il que je vous empêche[8] à m'y aider?
Las! ma vieillesse ne requérait dorénavant que repos, et
toute ma vie n'ai rien tant procuré[9] que paix; mais il faut,
je le vois bien, que maintenant de harnais je charge mes
pauvres épaules lasses et faibles, et en ma main tremblante
je prenne la lance et la masse[10] pour secourir et garantir
mes pauvres sujets. La raison le veut ainsi, car de leur
labeur je suis entretenu et de leur sueur je suis nourri, moi,
mes enfants et ma famille. Ce nonobstant, je n'entrepren-
drai guerre que je n'aie essayé tous les arts et moyens de
paix; là je me résous. »

Adonc fit convoquer son conseil et proposa[11] l'affaire
tel comme il était, et fut conclu qu'on enverrait quelque
homme prudent devers Picrochole savoir pourquoi ainsi
soudainement était parti[12] de son repos, et envahi les terres
èsquelles n'avait droit quiconque[13]; davantage[14] qu'on
envoyât quérir Gargantua et ses gens afin de maintenir le
pays et défendre à[15] ce besoin. Le tout plut à Grandgousier
et commanda qu'ainsi fut fait. Dont sur l'heure envoya le
Basque[16], son laquais, quérir à toute diligence Gargantua, et
lui écrivait comme s'ensuit.

---

1. Sur ce qui est à faire; **2.** J'atteste solennellement; **3.** *Ainsi* sert à introduire
un souhait. C'est un latinisme (cf. l'emploi de *sic* ou *ita*); **4.** L'ensemble de mes
sentiments, mon cœur; **5.** Fou furieux; **6.** Rétablir d'aplomb; **7.** Accorde-moi
de pouvoir. Rabelais joint souvent l'infinitif au verbe principal sans préposition;
8. Embarrasse; **9.** Poursuivi; **10.** Masse d'armes; **11.** Exposa. Affaire est
masculin au XVIᵉ siècle; **12.** Il s'était départi; **13.** Rabelais ne distingue pas
quiconque de *quelconque ;* **14.** En outre; **15.** En, sens fréquent; **16.** Les Basques
étaient des coureurs renommés.

Chapitre XXIX

LA TENEUR DES LETTRES QUE GRANDGOUSIER ÉCRIVAIT À GARGANTUA

« La ferveur de tes études requérait que de longtemps ne te révoquasse[1] de cetui philosophique repos, si la confiance de nos amis et anciens confédérés n'eût de présent frustré la sûreté de ma vieillesse. Mais, puisque telle est cette fatale destinée que par iceux sois inquiété èsquels[2] plus je me reposais, force m'est de te rappeler au subside[3] des gens et biens qui te sont par droit naturel affiés[4]. Car ainsi comme[5] débiles sont les armes au dehors si le conseil n'est en la maison, aussi vaine est l'étude et le conseil inutile, qui, en temps opportun, par vertu n'est exécuté et à son effet réduit.

« Ma délibération n'est que provoquer, ains[6] d'apaiser; d'assaillir, mais de défendre; de conquêter[7], mais de garder mes féaux sujets et terres héréditaires, èsquelles est hostilement entré Picrochole sans cause ni occasion, et de jour en jour poursuit sa furieuse[8] entreprise, avec excès non tolérables à personnes libères[9].

« Je me suis en devoir mis pour modérer sa colère tyrannique, lui offrant tout ce que je pensais lui pouvoir être en contentement, et, par plusieurs fois, ai envoyé amiablement devers lui pour entendre en quoi, par qui et comment il se sentait outragé; mais de lui n'ai eu réponse que de volontaire défiance[10], et qu'en mes terres prétendait seulement droit de bienséance[11]. Dont j'ai connu que Dieu éternel l'a laissé au gouvernail de son franc arbitre et propre sens, qui ne peut être que méchant si par grâce divine n'est continuellement guidé[12], et, pour le contenir en office[13] et réduire à connaissance me l'a ici envoyé à molestes[14] enseignes.

« Pourtant[15], mon fils bien aimé, le plus tôt que faire pourras, ces lettres vues, retourne à[16] diligence secourir, non tant moi (ce que toutefois par pitié[17] naturellement tu dois) que les tiens, lesquels par raison tu peux sauver et garder. L'exploit sera fait à moindre effusion de sang que sera possible,

1. Rappelasse; 2. Par ceux en qui j'avais le plus de confiance; 3. Secours; 4. Confiés; 5. En corrélation avec *aussi :* autant que, de même que; 6. Mais; 7. Conquérir; 8. Folle; 9. Libres (latinisme). Le style est ici solennel et cicéronien; 10. Défi; 11. Convenance, bon plaisir; 12. Pessimisme théologique (l'homme mauvais sans la grâce) qui apparente Grandgousier aux « Réformateurs »; 13. Devoir; 14. Hostiles; 15. Pour autant, c'est pourquoi; 16. Avec; 17. Piété filiale.

et si possible est, par engins[1] plus expédients, cautèles[2] et
ruses de guerre, nous sauverons toutes les âmes[3] et les
enverrons joyeux à leurs domiciles.

« Très-cher fils, la paix du Christ notre rédempteur soit
avec toi. Salue Ponocrates, Gymnaste et Eudémon de par
moi.

« Du vingtième de septembre.

« Ton père, GRANDGOUSIER. »

CHAPITRE XXX

[Ulrich Gallet[4], maître des requêtes, est envoyé par Grandgousier à Picrochole, pour une tentative de conciliation.]

CHAPITRE XXXI

LA HARANGUE FAITE PAR GALLET À PICROCHOLE

« Plus juste cause de douleur naître ne peut entre les
humains que si, du lieu dont par droiture espéraient grâce
et bénévolence[5], ils reçoivent ennui[6] et dommage. Et non
sans cause (combien que sans raison) plusieurs venus en
tel accident ont cette indignité moins estimé tolérable
que leur vie propre, et, en cas que par force ni autre engin[7] ne
l'ont pu corriger, se sont eux-mêmes privés de cette lumière.

« Donc merveille n'est si le roi Grandgousier, mon maître,
est, à ta furieuse et hostile venue, saisi de grand déplaisir[8] et
perturbé[9] en son entendement. Merveille serait si ne l'avaient
ému les excès incomparables qui, en ses terres et sujets,
ont été par toi et tes gens commis, èsquels n'a été omis
exemple aucun d'inhumanité. Ce que lui est tant grief[10] de
soi, par la cordiale affection de[11] laquelle toujours a chéri
ses sujets, qu'à mortel homme plus être ne saurait. Toutefois, sur l'estimation humaine, plus grief lui est, en tant
que par toi[12] et les tiens ont été ces griefs et torts faits, qui,
de toute mémoire et ancienneté aviez, toi et tes pères, une

---

1. Moyens; 2. Précautions; 3. Tout le monde, tous les hommes. *Ame*, jusqu'au xvᵉ siècle est pronom indéfini; 4. Un avocat de Chinon (Jehan Gallet)
portait ce nom vers 1530. Il alla plaider à Paris la cause des marchands de la
Loire contre Gaucher de Sainte-Marthe; 5. Bienveillance; 6. Tourment insup-
portable. Sens très fort, bien connu dans les textes classiques; 7. Artifice;
8. Désespoir; 9. Très troublé (latinisme); 10. Douloureux; 11. Avec; 12. Dans
la mesure où c'est par toi, etc... Dans ce style d'allure latine, la place des mots
est très expressive.

amitié avec lui et tous ses ancêtres conçu, laquelle, jusques à présent, comme sacrée, ensemble aviez inviolablement maintenue, gardée et entretenue, si bien que, non lui seulement ni les siens, mais les nations barbares[1], Poitevins, Bretons, Manceaux, et ceux qui habitent outre les îles de Canarre[2] et Isabella, ont estimé aussi facile démolir le firmament et les abîmes ériger au-dessus des nues que désemparer votre alliance, et tant l'ont redoutée en leurs entreprises qu'ils n'ont jamais osé provoquer, irriter ni endommager l'un par crainte de l'autre.

« Plus y a. Cette sacrée amitié tant a empli ce ciel que peu de gens sont aujourd'hui habitants par tout le continent et îles de l'Océan qui n'aient ambitieusement aspiré être reçus en icelle, à pactes par vous-mêmes conditionnés[3], autant estimants votre confédération que leurs propres terres et domaines. En sorte que, de toute mémoire, n'a été prince ni ligue tant efferée[4] ou superbe qui ait osé courir sur, je ne dis point vos terres, mais celles de vos confédérés, et si, par conseil précipité, ont encontre eux attenté[5] quelque cas de nouvelleté[6], le nom et titre de votre alliance entendu, ont soudain désisté de leurs entreprises. Quelle furie donc t'émeut maintenant, toute alliance brisée, toute amitié conculquée[7], tout droit trépassé[8], envahir hostilement ses terres sans en rien avoir été par lui ni les siens endommagé, irrité ni provoqué ? Où est foi ? où est loi ? où est raison ? où est humanité ? où est crainte de Dieu ? Cuides-tu[9] ces outrages être recélés[10] ès esprits éternels et au Dieu souverain, qui est juste rétributeur de nos entreprises ? Si le cuides, tu te trompes, car toutes choses viendront à son jugement. Sont-ce fatales[11] destinées ou influences[12] des astres qui veulent mettre fin à tes aises et repos ? Ainsi ont toutes choses leur fin et période[13], et quand elles sont venues à leur point superlatif[14], elles sont en bas ruinées[15], car elles ne peuvent longtemps en tel état demeurer. C'est la fin de ceux qui leurs fortunes et prospérités ne peuvent par raison et tempérance modérer.

---

1. Étrangères ; 2. Pays fabuleux, de situation géographique mal définie ; 3. Dont vous auriez fait vous-mêmes les conditions ; 4. Rendu sauvage (latinisme). Remarquer la tendance cicéronienne du discours ; 5. Tenté ; 6. Innovation, empiétement ; 7. Foulée aux pieds (latinisme) ; 8. Transgressé ; 9. Crois-tu ; 10. Cachés ; 11. Marquées par le sort ; 12. Fluides qui s'écoulent des astres dans les esprits. Les croyances à l'astrologie sont très répandues ; 13. Terme, qui clôt le cycle ; 14. Extrême ; 15. Précipitées.

« Mais si ainsi était fée[1] et dut ores ton heur[2] et repos prendre fin, fallait-il que ce fût en incommodant[3] à mon roi, celui par lequel tu étais établi ? Si ta maison devait ruiner[4], fallait-il qu'en sa ruine elle tombât sur les âtres de celui qui l'avait ornée ? La chose est tant hors les mètes[5] de raison, tant abhorrente[6] de sens commun, qu'à peine peut-elle être par humain entendement conçue, et jusques à ce demeurera non croyable entre les étrangers que[7] l'effet assuré et témoigné leur donne à entendre que rien n'est saint ni sacré à ceux qui se sont émancipés de Dieu et raison pour suivre leurs affections perverses.

« Si quelque tort eût été par nous fait en tes sujets et domaines, si par nous eût été porté faveur à tes mal voulus[8], si en tes affaires ne t'eussions secouru, si par nous ton nom et honneur eût été blessé, ou, pour mieux dire, si l'esprit calomniateur, tentant à mal te tirer[9], eût, par fallaces[10] espèces[11] et fantasmes[12] ludificatoires[13], mis en ton entendement qu'envers toi eussions fait chose non digne de notre ancienne amitié, tu devais premier[14] enquérir de la vérité, puis nous en admonester, et nous eussions tant à ton gré satisfait qu[15] eusses eu occasion de toi contenter. Mais, ô Dieu éternel ! quelle est ton entreprise ? Voudrais-tu, comme tyran perfide, piller ainsi et dissiper le royaume de mon maître ? L'as-tu éprouvé tant ignave[16] et stupide qu'il ne voulût, ou tant destitué[17] de gens, d'argent, de conseil et d'art militaire qu'il ne pût résister à tes iniques assauts ?

« Dépars[18] d'ici présentement, et demain pour tout le jour[19] soit retiré en tes terres, sans par le chemin faire aucun tumulte ni force ; et paie mille besans[20] d'or pour les dommages qu'as fait en ces terres. La moitié bailleras demain, l'autre moitié payeras ès ides[21] de mai prochainement venant, nous délaissant[22] cependant pour otages les ducs de Tournemoule, de Basdefesses et de Menuail, ensemble le prince de Gratelles et le vicomte de Morpiaille[23]. »

---

1. Prédestiné. Doublet vulgaire de fatal ; 2. Bonheur ; 3. En faisant du tort à ; 4. S'écrouler. Ruine a le sens de chute ; 5. Bornes (latinisme) ; 6. Éloigné de ; 7. Construire : elle demeurera… jusqu'à ce que ; 8. Ennemis ; 9. De te tirer au mal ; 10. Trompeuses (latinisme) ; 11. Apparences sensibles ; 12. Visions ; 13. Décevants, illusoires ; 14. Tout d'abord ; 15. Interpréter *tant… que* par assez… pour ; 16. Lâche ; 17. Dépourvu ; 18. Pars ; 19. Pour toujours ; 20. Ancienne monnaie qui n'avait plus cours depuis longtemps. Anachronisme voulu ; 21. Le 15 mai, selon le calendrier romain ; 22. Laissant pendant ce temps ; 23. Noms de fantaisie empruntés à la langue vulgaire.

Chapitre XXXII

COMMENT GRANDGOUSIER, POUR ACHETER LA PAIX, FIT RENDRE LES FOUACES

A tant[1] se tut le bon homme Gallet; mais Picrochole à tous ses propos ne répond autre chose, sinon : « Venez les quérir, venez les quérir. Ils vous broieront de la fouace. » Adonc retourne vers Grandgousier, lequel trouva à genoux, tête nue, incliné en un petit coin de son cabinet, priant Dieu qu'il voulût amollir la colère de Picrochole, et le mettre au point de raison sans y procéder par force. Quand vit le bon homme de retour, il lui demanda : « Ha! mon ami, mon ami, quelles nouvelles m'apportez-vous ?

— Il n'y a, dit Gallet, ordre[2] : cet homme est du tout[3] hors du sens et délaissé de Dieu.

— Voire mais, dit Grandgousier, mon ami, quelle cause prétend-il de cet excès ?

— Il ne m'a, dit Gallet, cause quelconque exposé, sinon qu'il m'a dit en colère quelques mots de fouaces. Je ne sais si l'on n'aurait point fait outrage à ses fouaciers.

— Je le veux, dit Grandgousier, bien entendre devant qu'autre chose délibérer sur ce que serait de faire[4]. »

Alors manda savoir de cet affaire, et trouva pour vrai qu'on avait pris par force quelques fouaces de ses gens, et que Marquet avait reçu un coup de tribard[5] sur la tête, toutefois que le tout avait été bien payé et que le dit Marquet avait premier[6] blessé Frogier de son fouet par les jambes, et sembla à tout son conseil qu'en toute force il se devait défendre.

Ce nonobstant dit Grandgousier : « Puisqu'il n'est question que de quelques fouaces, j'essaierai de le contenter, car il me déplaît par trop de lever guerre. » Adonc s'enquêta combien on avait pris de fouaces, et entendant quatre ou cinq douzaines, commanda qu'on en fît cinq charretées en icelle nuit, et que l'une fut de fouaces faites à beau beurre, beaux moyeux[7] d'œufs, beau safran et belles épices, pour être distribuées à Marquet, et que, pour ses intérêts[8], il lui donnait sept cents mille et trois philippus[9] pour payer les

1. Alors; 2. Tout est en désordre; 3. Complètement; 4. Ce qu'il y aurait à faire; 5. Bâton; 6. D'abord; 7. Jaunes; 8. Dommages et intérêts; 9. Signifie seulement : monnaie d'or.

barbiers[1] qui l'auraient pansé, et d'abondant[2] lui donnait la métairie de la Pomardière, à perpétuité franche pour lui et les siens.

Pour le tout conduire et passer fut envoyé Gallet. [...]

Touquedillon[3] raconta le tout à Picrochole, et de plus en plus envenima son courage[4], lui disant : « Ces rustres ont belle peur. Par Dieu ! Ce n'est leur art aller en guerre, mais oui bien vider les flacons. Je suis d'opinion que retenons[5] ces fouaces et l'argent, et au reste nous hâtons de remparer ici et poursuivre notre fortune. Mais pensent-ils bien avoir affaire à une dupe, de vous paître[6] de ces fouaces ? Voilà que c'est. Le bon traitement et la grande familiarité que leur avez par ci devant tenue, vous ont rendu envers eux contemptible[7]. Oignez[8] vilain, il vous poindra[9]. Poignez vilain, il vous oindra.

— Çà, ça, ça, dit Picrochole, saint Jacques ! ils en auront : faites ainsi qu'avez dit.

— D'une chose, dit Touquedillon, vous veux-je avertir. Nous sommes ici assez mal avitaillés[10] et pourvus maigrement des harnais de gueule[11]. Si Grandgousier nous mettait siège, dès à présent m'en irais faire arracher les dents toutes, seulement que trois me restâssent, autant à vos gens comme à moi ; avec icelles nous n'avancerons que trop à manger nos munitions.

— Nous, dit Picrochole, n'aurons que trop mangeailles. Sommes-nous ici pour manger ou pour batailler ?

— Pour batailler, vraiment, dit Touquedillon ; mais de la panse vient la danse[12], et où faim règne force exule[13].

— Tant jaser[14] ! dit Picrochole. Saisissez ce qu'ils ont amené. »

Adonc prirent argent et fouaces, et bœufs et charrettes et les renvoyèrent sans mot dire, sinon qu'ils n'approchassent plus de si près, pour la cause qu'on leur dirait demain. Ainsi sans rien faire retournèrent devers Grandgousier et lui contèrent le tout, ajoutants qu'il n'était aucun espoir de les tirer à paix, sinon à[15] vive et forte guerre.

---

1. Jouant le rôle de chirurgiens ; 2. Au surplus ; 3. *Touquedillon :* grand écuyer de Picrochole (son nom signifie « fanfaron » en langue d'oc) ; 4. Ses sentiments. (On appelle courage l'ensemble des sentiments qui constituent le *cœur*) ; 5. Que nous retenions (subjonctif). De même, hâtons ; 6. Rassasier ; 7. Méprisable à leurs yeux ; 8. Frottez d'onguent, caressez un rustre ; 9. Il vous piquera, c'est-à-dire vous fera du mal ; 10. Ravitaillés ; 11. Vivres ; 12. On ne danse pas quand on a la panse vide. Proverbe cité par Villon ; 13. Est bannie ; 14. Faut-il tant jaser ! 15. Par le moyen de.

Chapitre XXXIII

*COMMENT CERTAINS GOUVERNEURS DE PICRO-
CHOLE, PAR CONSEIL PRÉCIPITÉ, LE MIRENT AU
DERNIER PÉRIL*

Les fouaces détroussées, comparurent devant Picrochole
les duc de Menuail, comte Spadassin et capitaine Merdaille
et lui dirent : « Sire, aujourd'hui nous vous rendons le plus
heureux, plus chevalereux[1] prince qui onques fut depuis la
mort d'Alexandre Macedo[2].

— Couvrez, couvrez-vous[3], dit Picrochole.

— Grand merci, dirent-ils, sire, nous sommes à notre
devoir. Le moyen est tel. Vous laisserez ici quelque capitaine en garnison, avec petite bande de gens, pour garder la
place, laquelle nous semble assez forte, tant par nature que
par les remparts faits à votre invention. Votre armée parti-
rez[4] en deux, comme trop mieux l'entendez[5].

« L'une partie ira ruer[6] sur ce Grandgousier et ses gens.
Par icelle sera de prime abordée[7] facilement déconfit. Là
recouvrerez[8] argent à tas[9], car le vilain en a du comptant.
Vilain, disons-nous, parce qu'un noble prince n'a jamais un
sou. Thésauriser est fait de vilain.

« L'autre partie, cependant, tirera vers Aunis, Saintonge,
Angoumois et Gascogne, ensemble Périgot[10], Médoc et
Elanes[11]. Sans résistance prendront villes, châteaux et forteresses. A Bayonne, à Saint-Jean-de-Luc et Fontarabie,
saisirez toutes les naufs[12], et côtoyant vers Galice et Portugal,
pillerez tous les lieux maritimes jusques à Ulisbonne[13], où
aurez renfort de tout équipage requis[14] à un conquérant. Par
le corbieu[15] ! Espagne se rendra, car ce ne sont que madour-
rés[16] ! Vous passerez par l'étroit de Sibyle[17] et là érigerez
deux colonnes plus magnifiques que celles d'Hercule[18] à
perpétuelle mémoire de votre nom, et sera nommé cetui
détroit la mer Picrocholine.

1. Vaillant; 2. Le Macédonien; 3. Plaisanterie, par quoi Picrochole témoigne
sa satisfaction à ses lieutenants; 4. Partagerez; 5. Comme vous le comprenez
bien mieux que nous (trop indique rarement l'idée d'une limite dépassée);
6. Se jeter; 7. A la première attaque; 8. Acquerrez; 9. En quantité; 10. Péri-
gord; 11. Landes; 12. Vaisseaux; 13. Lisbonne; 14. Nécessaire; 15. Déformation : Par le corps de Dieu; 16. Lourdauds, maladroits; 17. Le détroit de
Gibraltar (de Séville); 18. Selon la légende, Hercule ouvrit un passage aux
eaux de l'Océan en séparant les monts de Gibraltar et de Ceuta : on les appelait les « colonnes d'Hercule ».

« Passée la mer Picrocholine, voici Barberousse[1] qui se rend votre esclave...

— Je, dit Picrochole, le prendrai à merci.

— Voire[2], dirent-ils, pourvu qu'il se fasse baptiser. Et oppugnerez[3] les royaumes de Tunic, d'Hippes[4], Argière[5], Bône, Corone[6], hardiment toute Barbarie[7]. Passant outre, retiendrez en votre main Majorque, Minorque, Sardaigne, Corsique[8] et autres îles de la mer Ligustique[9] et Baléare.

« Côtoyant à gauche, dominerez toute la Gaule Narbonique, Provence et Allobroges, Gênes, Florence, Luques et à Dieu seas[10] Rome! Le pauvre Monsieur du[11] Pape meurt déjà de peur.

— Par ma foi, dit Picrochole, je ne lui baiserai jà[12] sa pantoufle.

— Prise Italie, voilà Naples, Calabre, Apouille[13] et Sicile toutes à sac, et Malte avec. Je voudrais bien que les plaisants chevaliers jadis Rhodiens[14] vous résistassent pour voir de leur urine!

— J'irais, dit Picrochole, volontiers à Lorette[15].

— Rien, rien[16], dirent-ils, ce sera au retour. De là prendrons Candie, Chypre, Rhodes et les îles Cyclades, et donnerons sur la Morée. Nous la tenons. Saint Treignan[17], Dieu gard Jerusalem! car le Soudan[18] n'est pas comparable à votre puissance.

— Je, dit-il, ferai donc bâtir le temple de Salomon?

— Non, dirent-ils, encore, attendez un peu. Ne soyez jamais tant soudain à vos entreprises. Savez-vous que disait Octavian Auguste[19]? *Festina lente*[20]. Il vous convient premièrement avoir l'Asie minor, Carie, Lycie, Pamphile, Cilicie, Lydie, Phrygie, Mysie, Bétune[21], Charasie, Satalie, Samagarie, Castamena, Luga, Savasta[22], jusques à Euphrate.

---

1. Amiral ottoman (Khaïr-Eddyn), souverain d'Alger. Il aida François Ier contre Charles Quint, et mourut en 1546; 2. Oui; 3. Assiégerez; 4. Bizerte; 5. Alger; 6. Cyrène; 7. La Barbarie désigne toute l'Afrique du Nord; 8. Corse; 9. Le golfe de Gênes; 10. Formule provençale d'adieu (= à Dieu sois). Signifie : c'en est fait de Rome, c'est-à-dire de la puissance de Rome; 11. *Monsieur du* est la particule nobiliaire; 12. Ne sert souvent, comme ici, qu'à renforcer la négation; 13. Pouille (Apulie); 14. Les chevaliers de Saint-Jean de Jérusalem, établis à Rhodes depuis 1310, en avaient été chassés en 1522 par Soliman II. Ils s'étaient alors établis dans l'île de Malte, que leur avait donnée Charles Quint; 15. Notre-Dame-de-Lorette, en Italie. Lieu de pèlerinage fameux, où les anges auraient, dit-on, transporté la maison de la Vierge; 16. Non, non; 17. Saint-Ninian, ou Ringan, saint national de l'Écosse; 18. Sultan; 19. L'empereur Auguste; 20. Hâte-toi lentement. Maxime d'Auguste, commentée par Érasme dans ses *Adages* ; 21. Bithynie; 22. Tous ces noms désignent des régions ou des villes d'Asie Mineure. Samagarie et Luga sont inconnues, en dehors de Rabelais.

— Verrons-nous, dit Picrochole, Babylone et le mont Sinay ?

— Il n'est, dirent-ils, jà besoin pour cette heure. N'est-ce pas assez tracassé[1] dea[2] avoir transfrété[3] la mer Hircane[4], chevauché[5] les deux Arménies[6] et les trois Arabies[7] ?

— Par ma foi, dit-il, nous sommes affolés. Ha! pauvres gens !

— Quoi ? dirent-ils.

— Que boirons-nous par ces déserts ? Car Julian Auguste[8] et tout son ost[9] y moururent de soif, comme l'on dit.

— Nous, dirent-ils, avons jà[10] donné ordre à tout. Par la mer Siriace[11], vous avez neuf mille quatorze grands naufs[12], chargées des meilleurs vins du monde ; elles arrivèrent à Japhes[13]. Là se sont trouvés vingt et deux cents mille chameaux et seize cents éléphants, lesquels aurez pris à une chasse environ Sigeilmes[14], lorsque entrâtes en Libye, et d'abondant[15] eûtes toute la caravane de la Mecha[16]. Ne vous fournirent-ils de vin à suffisance ?

— Voire[17], mais, dit-il, nous ne bûmes point frais.

— Par la vertu, dirent-ils, non pas d'un petit poisson[18], un preux, un conquérant, un prétendant et aspirant à l'empire univers[19], ne peut toujours avoir ses aises. Dieu soit loué qu'êtes[20] venu, vous et vos gens, saufs et entiers jusques au fleuve du Tigre !

— Mais, dit-il, que fait ce pendant la part de notre armée qui déconfit ce vilain humeux[21] de Grandgousier ?

— Ils ne chôment pas, dirent-ils ; nous les rencontrerons tantôt. Ils vous ont pris Bretagne, Normandie, Flandres, Hainaut, Brabant, Artois, Hollande, Zélande ; ils ont passé le Rhin par sus le ventre des Suisses et Lansquenets[22] et part d'entre eux ont dompté Luxembourg, Lorraine, la Champagne, Savoie jusques à Lyon, auquel lieu ont trouvé

1. Couru de côté et d'autre ; 2. Vraiment ; 3. Traversé ; 4. La mer Hircanienne (mer Caspienne) ; 5. Parcouru à cheval ; 6. Les Anciens distinguaient la grande Arménie et la petite Arménie ; 7. Arabie Pétrée, Arabie Déserte, Arabie Heureuse ; 8. L'Empereur Julien. Il fut tué en 363 dans une expédition contre les Perses ; mais en combattant. La légende s'empara vite de cette mort. Une tradition racontait que son armée avait été ensevelie dans le désert, accablée par la chaleur et la soif ; 9. Armée ; 10. Déjà ; 11. Mer de Syrie ; 12. Vaisseaux ; 13. Jaffa ; 14. Ville d'Afrique (Sidjilmassa) que l'on identifie avec une ville de l'oasis du Tafilelt ; 15. De plus ; 16. Une caravane de pèlerins partait tous les ans du Caire pour se rendre au tombeau de Mahomet, à La Mecque ; 17. Oui ; 18. Juron euphémique. Cf. nom d'un petit bonhomme ; 19. Universel ; 20. Remarquer l'emploi voulu de l'indicatif ; 21. Buveur ; 22. Mercenaires allemands, qui formèrent longtemps en France une partie de l'armée royale. Ils venaient surtout de la Souabe.

vos garnisons retournants des conquêtes navales de la mer
Méditerranée, et se sont rassemblés en Bohême, après avoir
mis à sac Souève[1], Vuitemberg[2], Bavière, Autriche, Moravie,
et Styrie. Puis ont donné fièrement[3] ensemble sur Lubeck,
Norwerge, Sweden Rich[4], Dace[5], Gotthie[6], Engroneland[7],
les Estrelins[8] jusques à la mer Glaciale. Ce fait, conquê-
tèrent les îles Orchades, et subjuguèrent Écosse, Angleterre
et Irlande. De là, navigants par la mer Sabuleuse[9] et par les
Sarmates[10], ont vaincu et dompté Prussie, Polonie, Lituanie,
Russie, Valache, la Transilvane et Hongrie, Bulgarie, Turquie, et sont à Constantinople.

— Allons nous, dit Picrochole, rendre à eux le plus tôt[11],
car je veux être aussi empereur de Thébizonde[12]. Ne tuerons-
nous pas tous ces chiens turcs et mahumétistes ?

— Que diable, dirent-ils, ferons-nous donc[13] ? Et donnerez
leurs biens et terres à ceux qui vous auront servi honnêtement.

— La raison, dit-il, le veut, c'est équité. Je vous donne la
Carmaigne[14], Syrie et toute la Palestine.

— Ha ! dirent-ils, sire, c'est du bien de vous, grand merci !
Dieu vous fasse bien toujours prospérer ! »

Là présent était un vieux gentilhomme, éprouvé en divers
hasards et vrai routier de guerre, nommé Echéphron[15],
lequel, oyant[16] ces propos, dit : « J'ai grand peur que toute
cette entreprise sera semblable à la farce du pot au lait,
duquel un cordouannier[17] se faisait riche par rêverie, puis
le pot cassé, n'eut de quoi dîner. Que prétendez-vous[18]
par ces belles conquêtes ? Quelle sera la fin de tant de
travaux et traverses ?

— Ce sera, dit Picrochole, que nous retournés, reposerons
à nos aises. »

Dont[19] dit Echéphron : « Et si par cas[20] jamais n'en retournez, car le voyage est long et périlleux, n'est-ce mieux que

---

1. Souabe; 2. Wurtemberg; 3. Avec audace, impétuosité; 4. Le royaume
de Suède; 5. Danemark; 6. Partie méridionale de la Suède; 7. Groenland;
8. Les gens des villes hanséatiques (situées à l'*Est* de la France et de l'Angleterre); 9. La mer Baltique (la mer aux bancs de sable); 10. *Par les Sarmates*
veut dire sans doute : en allant vers le pays des Sarmates; 11. Allons, dit
Picrochole, nous rendre près d'eux le plus tôt; 12. Il y eut au XIIIᵉ siècle un
empire de Trébizonde, dont le souvenir se conserva dans les romans de chevalerie; 13. Sous-entendre : Si nous ne faisons pas cela ? C'est par là qu'il
faut commencer; 14. La Caramanie, en Turquie d'Asie; 15. Nom grec signifiant : qui a du bon sens; 16. Entendant; 17. Cordonnier (ouvrier en cordouan,
ou cuir de Cordoue); 18. A quoi prétendez-vous ? 19. Par suite de quoi;
20. Par hasard, par malheur.

dès maintenant nous reposons, sans nous mettre en ces hasards?

— O! dit Spadassin, par Dieu, voici un bon rêveur[1]! Mais allons nous cacher au coin de la cheminée, et là passons avec les dames notre vie et notre temps à enfiler des perles, ou à filer comme Sardanapalus[2]. Qui ne s'aventure n'a cheval ni mule, ce dit Salomon.

— Qui trop, dit Echéphron, s'aventure, perd cheval et mule, répondit Malcon[3].

— Baste[4]! dit Picrochole, passons outre. Je ne crains que ces diables de légions de Grandgousier. Cependant que nous sommes en Mésopotamie, s'ils nous donnaient sur la queue, quel remède?

— Très bon, dit Merdaille. Une belle petite commission[5], laquelle vous enverrez ès Moscovites, vous mettra en camp[6] pour un moment[7] quatre cents cinquante mille combattants d'élite. O! si vous m'y faites votre lieutenant, je tuerais un pigne pour un mercier[8]! Je mors, je rue, je frappe, j'attrape, je tue, je renie!

— Sus, sus, dit Picrochole, qu'on dépêche tout, et qui m'aime si me suive. »

Chapitres XXXIV-XXXV

[Gargantua revient de Paris au secours de son père. Gymnaste, maître d'armes de Gargantua (cf. chap. XXIII), est envoyé en éclaireur; mais il rencontre un fort parti d'ennemis. Il les mistifie en leur laissant cro re qu'il est un diable; et les extraordinaires tours de voltige qu'il accomplit sur son cheval ont vite fait de persuader les ennemis qu'il sort de l'Enfer. Profitant de leur désarroi, Gymnaste massacre tous ceux qu'il peut atteindre.]

1. Fou; 2. Une tradition du Moyen Age représente Sardanapale filant parmi les femmes (encore chez Villon); 3. Dans un dialogue en vers de la fin du XIIe siècle, *les Dits de Marcoul et de Salomon*, un certain Marcoul oppose à chaque sentence morale prononcée par Salomon une vérité d'un bon-sens un peu trivial; 4. Assez! Suffit! 5. Autorisation de mobiliser des troupes; 6. En campagne; 7. En un moment; 8. *Pigne :* peigne. Un vieux proverbe disait : *tuer un mercier pour un pigne,* c'est-à-dire : tuer un homme pour peu de chose. Le guerrier intervertit les termes, par une distraction burlesque de son enthousiasme.

Chapitre **XXXVI**

COMMENT GARGANTUA DÉMOLIT LE CHÂTEAU
DU GUÉ DE VÈDE, ET COMMENT ILS PASSÈRENT
LE GUÉ

Venu que fut[1] [Gymnaste] raconta l'état onquel[2] avait trouvé les ennemis et du stratagème qu'il avait fait, lui seul, contre toute leur caterve[3], affirmant qu'ils n'étaient que marauds, pilleurs et brigands, ignorants de toute discipline militaire, et que hardiment ils[4] se missent en voie, car il leur serait très facile de les assommer comme bêtes.

Adonc monta Gargantua sur sa grande jument, accompagné comme devant avons dit, et, trouvant en son chemin un haut et grand arbre (lequel communément on nommait l'arbre de saint Martin[5], pour ce qu'ainsi était crû un bourdon que jadis saint Martin y planta), dit : « Voici ce qu'il me fallait. Cet arbre me servira de bourdon et de lance. » Et l'arrachit facilement de terre, et en ôta les rameaux, et le para[6] pour son plaisir. [...]

Gargantua, venu à l'endroit du bois de Vède, fut avisé par Eudémon que dedans le château était quelque reste des ennemis; pour laquelle chose savoir Gargantua s'écria tant qu'il put : « Êtes-vous là, ou n'y êtes pas ? Si vous y êtes, n'y soyez plus; si n'y êtes, je n'ai que dire. » Mais un ribaud[7] canonnier, qui était au machicoulis, lui tira un coup de canon et l'atteint par le temple dextre[8] furieusement; toutefois ne lui fit pour ce mal en plus que[9] s'il lui eût jeté une prune : « Qu'est-ce là, dit Gargantua; nous jetez-vous ici des grains de raisins ? La vendange vous coûtera cher ! » pensant de vrai que le boulet fut un grain de raisin. Ceux qui étaient dedans le château, amusés à la pille[10], entendants le bruit, coururent aux tours et forteresses, et lui tirèrent plus de neuf mille vingt et cinq coups de fauconneaux[11] et arquebuses, visants tous à sa tête, et si menu tiraient contre lui qu'il s'écria : « Ponocrates, mon ami, ces mouches ici m'aveuglent; baillez moi quelque rameau de ces saules pour les

---

1. Lorsqu'il fut revenu; 2. Dans lequel; 3. Troupe; 4. Gargantua et les siens. Rabelais n'évite pas l'ambiguïté du pronom *ils*; 5. Allusion à un miracle de saint Martin. Son bâton, planté en terre, devint tout feuillu pendant la nuit; 6. Prépara (en ôtant les feuilles et l'écorce); 7. Un garnement, un vaurien; 8. La tempe droite; 9. Pour cela, il ne lui fit pas plus de mal que si...; 10. Au pillage. Sans doute, par allusion à un nom de jeu; 11. Petite pièce d'artillerie, dont la balle pesait jusqu'à 5 kilogrammes.

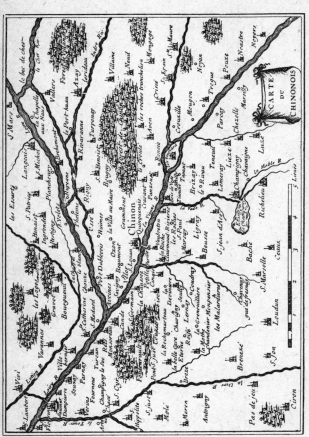

D'après l'édition de 1725 des *Œuvres* de Rabelais.

LE CHINONAIS, THÉÂTRE DE L'EXPÉDITION GUERRIÈRE DE GARGANTUA

chasser, » pensant, des plombées[1] et pierres d'artillerie, que
fussent[2] mouches bovines. Ponocrates l'avisa que n'étaient
autres mouches que les coups d'artillerie que l'on tirait du
château. Alors choqua de son grand arbre contre le château,
et à grands coups abattit et tours et forteresses, et ruina tout
par terre. Par ce moyen furent tous rompus et mis en pièces
ceux qui étaient en icelui. [...]

Chapitre XXXVII

*COMMENT GARGANTUA, SOI PEIGNANT, FAISAIT
TOMBER DE SES CHEVEUX LES BOULETS
D'ARTILLERIE*

Issus[3] la rive de Vède, peu de temps après abordèrent au
château de Grandgousier, qui les attendait en grand désir.
A sa venue, ils le festoyèrent[4] à tour de bras; jamais on
ne vit gens plus joyeux, car *Supplementum supplementi chroni-
corum*[5] dit que Gargamelle y mourut de joie. Je n'en sais
rien de ma part, et bien peu me soucie ni d'elle ni d'autre.
La vérité fut que Gargantua, se rafraîchissant d'habillements[6] et se testonnant[7] de son pigne[8] qui était grand de
cent cannes[9], tout appointé de grandes dents d'éléphants
toutes entières, faisait tomber à chacun coup plus de sept
balles[10] de boulets qui lui étaient demeurés entre les cheveux à la démolition du bois de Vède.

Ce que voyant Grandgousier, son père, pensait que
fussent poux et lui dit : « Dea[11] mon bon fils, nous as-tu
apporté jusques ici des éperviers de Montaigu[12] ? Je n'enten-
dais[13] que là tu fisses résidence. » Adonc Ponocrates répondit : « Seigneur, ne pensez que je l'aie mis au collège de
pouillerie qu'on nomme Montaigu. Mieux l'eusse voulu
mettre entre les guenaux de Saint-Innocent[14], pour[15]
l'énorme cruauté et vilenie que j'y[16] ai connue. Car trop[17]
mieux sont traités les forcés[18] entre les Maures et Tartares,

1. Projectiles, balles de plomb; 2. Que c'étaient...; 3. Une fois sortis sur;
4. Firent fête; 5. Le supplément du supplément des *Chroniques*. Titre de
fantaisie; 6. Changeant de vêtements; 7. Se peignant; 8. Peigne; 9. Mesure
alors en usage dans le Midi, de près de 2 mètres; 10. Ballot; 11. Vraiment;
12. Le collège de Montaigu est fameux pour sa vermine, son manque d'hygiène;
13. Je ne voulais pas que; 14. Les mendiants du cimetière
de Saint-Innocent; 15. A cause de; 16. *Y* représente le collège de Montaigu;
17. Beaucoup, sans idée de limite dépassée (sens normal devant le comparatif);
18. Forçats.

les meurtriers en la prison criminelle, voire certes les chiens
en votre maison que ne sont ces malotrus[1] au dit collège, et si
j'étais roi de Paris, le diable m'emporte si je ne mettais le feu
dedans, et faisais brûler et principal et régents, qui endurent
cette inhumanité devant leurs yeux être exercée[2]. »

Lors, levant un de ces boulets, dit : « Ce sont coups de
canon que naguères a reçu votre fils Gargantua passant
devant le bois de Vède, par la trahison de vos ennemis. Mais
ils en eurent telle récompense qu'ils sont tous péris en la
ruine du château, comme les Philistins par l'engin[3] de
Samson, et ceux qu'opprima[4] la tour de Siloé, desquels est
écrit Luc XIII[5]. Iceux je suis d'avis que nous poursuivons,
cependant que l'heur[6] est pour nous, car l'occasion a tous ses
cheveux au front. Quand elle est outre passée, vous ne la pou-
vez plus révoquer[7]; elle est chauve par le derrière de la tête,
et jamais plus ne retourne.

— Vraiment, dit Grandgousier, ce ne sera pas à cette
heure, car je veux vous festoyer pour ce soir, et soyez les
très bien venus. » [...]

Chapitres XXXVIII-XLI

[Description du festin offert par Grandgousier. Incidents (Gargantua mange six pèlerins en salade) et joyeuses conversations,
rappelant les propos des Bien-Ivres. Frère Jean y prend une belle
part.

Puis les compagnons se mettent en route au milieu de la nuit,
pour surprendre les ennemis.]

Chapitre XLII

*COMMENT LE MOINE DONNA COURAGE A SES
COMPAGNONS ET COMMENT IL PENDIT A UN ARBRE*

Or s'en vont les nobles champions à leur aventure, bien
délibérés[8] d'entendre quelle rencontre faudra poursuivre,
et de quoi se faudra contregarder[9] quand viendra la journée

---

1. Misérables; 2. Proposition infinitive. Érasme lui aussi s'est élevé contre
le régime inhumain du collège de Montaigu, aggravé encore au début du
xvie siècle; 3. Ruse; 4. Écrasa; 5. Évangile selon saint Luc (xiii, 4) : « Ou
bien ces dix-huit sur qui tomba la tour de Siloé, et qu'elle tua, pensez-vous
que leur dette fût plus grande que celle de tous les autres habitants de Jérusalem ? » On ne sait pas à quel accident il est fait ici allusion; 6. La chance;
7. Rappeler; 8. Résolus; 9. Se garder.

de la grande et horrible bataille. Et le moine leur donne courage, disant :

« Enfants, n'ayez ni peur ni doute[1], je vous conduirai sûrement. Dieu et saint Benoît soient avec nous ! Si j'avais la force de même[2] le courage, par la mort bieu ! je vous les plumerais comme un canard. Je ne crains rien fors l'artillerie. Toutefois je sais quelque oraison que m'a baillée le sous secrétain[3] de notre abbaye, laquelle garantit la personne de toutes bouches à feu. Mais elle ne me profitera de rien, car je n'y ajoute point de foi. Toutefois mon bâton de croix fera diables[4]. Par Dieu ! qui fera la cane de vous autres[5], je me donne au diable si je ne le fais moine en mon lieu[6], et l'enchevêtre de mon froc[7] ; il porte médecine[8] à couardise de gens.

« Avez point ouï parler du lévrier de monsieur de Meurles[9] qui ne valait rien pour les champs ? Il lui mit un froc au col ; par le corps Dieu ! il n'échappait ni lièvre, ni renard devant lui. [...] »

Le moine disant ces paroles en colère, passa sous un noyer, tirant[10] vers la Saulsaie, et embrocha la visière de son heaume à la roupte[11] d'une grosse branche de noyer. Ce nonobstant donna fièrement[12] des éperons à son cheval, lequel était chatouilleur à la pointe, en manière que le cheval bondit en avant, et le moine, voulant défaire sa visière du croc, lâche la bride, et de la main se pend aux branches, cependant que le cheval se dérobe dessous lui. Par ce moyen demeura le moine pendant au noyer, et criant à l'aide et au meurtre, protestant[13] aussi de trahison.

Eudémon premier l'aperçut, et appelant Gargantua : « Sire, venez et voyez Absalon pendu[14]. » Gargantua venu considéra la contenance du moine et la forme[15] dont il pendait, et dit à Eudémon : « Vous avez mal rencontré, le comparant à Absalon, car Absalon se pendit par les cheveux, mais le moine, ras de tête, s'est pendu par les oreilles.

— Aidez-moi, dit le moine, de par le diable ! N'est-il pas bien le temps de jaser ? Vous me semblez les prêcheurs

---

1. Crainte ; 2. De même que ; 3. Sous-sacristain, titre de fantaisie ; 4. Merveilles ; 5. Celui d'entre vous qui fera le plongeon comme un canard, c'est-à-dire disparaîtra du champ de bataille (cf. *caner*, avoir peur) ; 6. A ma place ; 7. Le harnache avec mon froc ; 8. C'est un remède contre... ; 9. Personnage inconnu ; 10. En se dirigeant ; 11. Endroit où une branche est brisée, rupture (moignon) ; 12. Vivement ; 13. Criant à la trahison ; 14. On sait qu'Absalon resta suspendu par les cheveux aux branches d'un chêne ; 15. Manière.

décrétalistes[1] qui disent que quiconque verra son prochain en danger de mort, il le doit, sur peine d'excommunication trisulce[2], plutôt admonester de soi confesser et mettre en état de grâce que de lui aider.

« Quand donc je les verrai tombés en la rivière et prêts d'être noyés, en lieu de les aller quérir et bailler[3] la main, je leur ferai un beau et long sermon *de contemptu mundi et fuga seculi*[4], et lorsqu'ils seront raides morts, je les irai pêcher.

— Ne bouge, dit Gymnaste, mon mignon, je te vais quérir, car tu es gentil petit *monachus :*

> *Monachus in claustro*
> *Non valet ova duo ;*
> *Sed quando est extra,*
> *Bene valet triginta*[5].

« J'ai vu des pendus plus de cinq cents, mais je n'en vis onques qui eût meilleure grâce en pendillant, et si je l'avais aussi bonne, je voudrais ainsi pendre toute ma vie.

— Aurez-vous, dit le moine, tantôt assez prêché ? Aidez-moi de par Dieu, puisque de par l'Autre[6] ne voulez. Par l'habit que je porte, vous en repentirez, *tempore et loco prelibatis*[7]. »

Alors descendit Gymnaste de son cheval, et, montant au noyer, souleva le moine par les goussets[8] d'une main, et de l'autre défit sa visière du croc de l'arbre, et ainsi le laissa tomber en terre, et soi après. Descendu que fut[9], le moine se défit de tout son harnais[10], et jeta l'une pièce après l'autre parmi le champ, et reprenant son bâton de la croix, remonta sur son cheval, lequel Eudémon avait retenu à la fuite[11]. Ainsi s'en vont joyeusement, tenants le chemin de la Saulsaie.

---

1. On appelle *Décrétales* les lettres officielles des papes, ayant pour objet d'établir quelque règlement, ou de trancher des questions de discipline. Les commentateurs des *Décrétales* eurent souvent l'esprit trop formaliste et trop théorique. C'est pourquoi Rabelais leur attribue cette opinion. Cf. *Quart livre*, chap. LIII ; 2. Triple, trois fois fulminée ; 3. Et de *leur* donner. Le pronom personnel peut être régime de deux verbes qui ne sont pas de la même nature ; 4. Sur le mépris du monde (vie mondaine) et la fuite du siècle (même sens que monde) ; 5. « Un moine dans son cloître ne vaut pas deux œufs ; mais quand il est dehors, il en vaut bien trente. » On ignore l'origine de cette chanson ; 6. Le diable. Interversion plaisante. On invoquait d'abord Dieu, et on ne recourait à l'*Autre* (euphémisme) qu'à défaut de Dieu ; 7. En temps et lieu ; 8. Pièce de l'armure sous les aisselles ; 9. Quand il fut descendu ; 10. Armure ; 11. Au moment où il s'enfuyait.

Chapitres XLIII-XLV

[Premiers engagements, où se distingue frère Jean. Le capitaine Touquedillon, un des chefs de l'armée de Picrochole, a été fait prisonnier.]

Chapitre XLVI

COMMENT GRANDGOUSIER TRAITA HUMAINEMENT TOUQUEDILLON PRISONNIER

Touquedillon fut présenté à Grandgousier et interrogé par icelui sur l'entreprise et affaires de Picrochole, quelle fin il prétendait[1] par ce tumultuaire[2] vacarme. A quoi répondit que sa fin et sa destinée[3] était de conquêter tout le pays, s'il pouvait, pour l'injure faite à ses fouaciers.

« C'est, dit Grandgousier, trop entrepris : qui trop embrasse peu étreint. Le temps n'est plus d'ainsi conquêter les royaumes, avec dommage de son prochain frère christian. Cette imitation des anciens Hercules, Alexandres, Annibals, Scipions, Césars, et autres tels, est contraire à la profession[4] de l'évangile, par lequel nous est commandé garder, sauver[5], régir et administrer chacun ses pays et terres, non hostilement envahir les autres, et ce que les Sarrasins et barbares jadis appelaient prouesses, maintenant nous appelons briganderies et méchancetés. Mieux eût-il fait soi contenir en sa maison, royalement la gouvernant, qu'insulter en la mienne, hostilement la pillant, car par bien la gouverner l'eût augmentée, par me piller[6] sera détruit.

« Allez-vous-en, au nom de Dieu, suivez bonne entreprise, remontrez à votre roi les erreurs que connaîtrez, et jamais ne le conseillez ayant égard à votre profit particulier, car avec le commun[7] est aussi le propre perdu. Quant est de votre rançon, je vous la donne entièrement, et veux que vous soient rendues armes et cheval.

« Ainsi faut-il faire entre voisins et anciens amis, vu que cette notre différence[8] n'est point guerre proprement, comme Platon, li. V, *de Rep.*[9], voulait être non guerre nommée, ains[10]

1. Il visait; 2. Désordonné et tumultueux; 3. Son but et son dessein; 4. Enseignement; 5. Protéger; 6. Nous dirions : en la gouvernant bien, en me pillant; 7. Le bien commun, public — opposé au *propre*, ou bien particulier; 8. Différent; 9. Allusion à un passage de Platon. livre V de *la République*; 10. Mais.

sédition, quand les Grecs mouvaient armes[1] les uns contre
les autres ; ce que si par male[2] fortune advenait, il commande
qu'on use de toute modestie[3]. Si guerre la nommez, elle
n'est que superficiaire[4], elle n'entre point au profond cabinet
de nos cœurs, car nul de nous n'est outragé en son honneur,
et n'est question, en somme totale, que de rhabiller[5] quelque
faute commise par nos gens, j'entends et vôtres et nôtres,
laquelle, encore que connussiez, vous deviez laisser couler
outre[6], car les personnages querellants étaient plus à contemner[7] qu'à ramentevoir[8], mêmement[9] leur satisfaisant selon
le grief, comme je me suis offert. Dieu sera juste estimateur
de notre différend, lequel je supplie plutôt par mort me
tollir[10] de cette vie et mes biens dépérir devant mes yeux,
que par moi ni les miens en rien soit offensé. »

Ces paroles achevées, appela le moine, et devant tous lui
demanda : « Frère Jean, mon bon ami, êtes-vous qui avez
pris le capitaine Touquedillon ici présent ?

— Sire, dit le moine, il est présent ; il a âge et discrétion[11] ;
j'aime mieux que le sachez par sa confession que par ma
parole. »

Adonc dit Touquedillon : « Seigneur, c'est lui véritablement qui m'a pris, et je me rends son prisonnier franchement.

— L'avez-vous, dit Grandgousier au moine, mis à rançon ?

— Non, dit le moine ; de cela je ne me soucie.

— Combien, dit Grandgousier, voudriez-vous de sa prise ?

— Rien, rien, dit le moine, cela ne me mène pas[12]. »

Lors commanda Grandgousier que, présent Touquedillon, fussent comptés au moine soixante et deux mille
saluts[13] pour celle prise, ce que fut fait, cependant qu'on
fit la collation audit Touquedillon, auquel demanda Grandgousier s'il voulait demeurer avec lui ou si mieux aimait
retourner à son roi. Touquedillon répondit qu'il tiendrait
le parti lequel il lui conseillerait : « Donc, dit Grandgousier,
retournez à votre roi, et Dieu soit avec vous ! »

Puis lui donna une belle épée de Vienne, avec le fourreau
d'or fait à belles vignettes d'orfèverie, et un collier d'or
pesant sept cents deux mille marcs[14], garni de fines pierre-

---

1. Prenaient les armes ; 2. Mauvaise ; 3. Modération ; 4. Superficielle ;
5. Réparer ; 6. Laisser passer ; 7. Dédaigner ; 8. Remémorer, rappeler à
l'esprit ; 9. Surtout ; 10. Enlever ; 11. Discernement ; 12. Ce n'est pas cela qui
me fait agir ; 13. Monnaie d'or du temps de Charles VI (valeur : 12 francs).
Sur une des faces était représenté l'ange saluant la Sainte Vierge ; 14. Le
marc français équivaut à près du quart du kilogramme

ries, à l'estimation de cent soixante mille ducats, et dix mille écus par présent honorable. Après ces propos, monta Touquedillon sur son cheval. Gargantua, pour sa sureté, lui bailla trente hommes d'armes et six vingts archers sous la conduite de Gymnaste, pour le mener jusques ès portes de la Roche-Clermaud si besoin était.

Icelui départi[1], le moine rendit à Grandgousier les soixante et deux mille saluts qu'il avait reçu, disant : « Sire, ce n'est ores[2] que vous devez faire tels dons. Attendez la fin de cette guerre, car l'on ne sait quels affaires pourraient survenir, et guerre faite sans bonne provision d'argent n'a qu'un soupirail de vigueur[3]. Les nerfs des batailles sont les pécunes[4]. *argent*

— Donc, dit Grandgousier, à la fin je vous contenterai par honnête récompense, et tous ceux qui m'auront bien servi. »

CHAPITRES XLVII-XLIX

[Gargantua écrase l'armée de Picrochole — puis rassemble les vaincus, et leur adresse une harangue.]

Harangue

CHAPITRE L
LA CONCION[5] QUE FIT GARGANTUA ÈS VAINCUS

« Nos pères, aïeux et ancêtres de toute mémoire ont été de ce sens et cette nature que, des batailles par eux consommées, ont pour signe mémorial[6] des triomphes et victoires plus volontiers érigé trophées et monuments ès cœurs des vaincus, par grâce[7], que ès terres par eux conquêtées, par architecture, car plus estimaient la vive souvenance des humains acquise par libéralité que la mute[8] inscription des arcs, colonnes et pyramides sujette ès calamités de l'air et envie d'un chacun.

« Souvenir assez vous peut de la mansuétude dont ils usèrent envers les Bretons, à la journée de Saint-Aubin-du-Cormier[9] et à la démolition de Parthenay[10]. Vous avez entendu, et entendant admirez le bon traitement qu'ils

1. Après son départ; 2. Maintenant; 3. Très peu de vigueur. On dit quelquefois un *soupir* pour indiquer une très faible quanti té. Frère Jean dit dans le même sens : un soupirail; 4. Argent; 5. Ha rangue; 6. Commémoratif; 7. Mansuétude; 8. Muette; 9. Allusion à la v ictoire remportée par la Trémoille sur l'armée de François II, duc d e Bretagne; 10. Charles VIII fit démanteler Parthenay en 1487, après avoir acc ordé à la garnison le pardon et la liberté de se retirer avec ses arme s.

ravagé

firent ès barbares de Spagnola[1] qui avaient pillé, dépopulé[2] et saccagé les fins[3] maritimes d'Olonne[4] et Talmondais. Tout ce ciel a été rempli des louanges et gratulations[5] que vous-mêmes et vos pères fîtes lorsque Alpharbal[6], roi de Canarre, non assouvi de ses fortunes[7], envahit furieusement le pays d'Aunis[8], exerçant la piratique[8] en toutes les îles Armoriques[9] et régions confines[10]. Il fut, en juste bataille navale, pris et vaincu de mon père auquel Dieu soit garde et protecteur. Mais quoi ? Au cas que[11] les autres rois et empereurs, voire qui[12] se font nommer catholiques, l'eussent misérablement traité, durement emprisonné, et rançonné extrêmement, il le traita courtoisement, amiablement, le logea avec soi en son palais et, par incroyable débonnaireté, le renvoya en sauf-conduit, chargé de dons, chargé de grâces, chargé de toutes offices[13] d'amitié.

eeusqui

« Qu'en est-il avenu ? Lui, retourné en ses terres, fit assembler tous les princes et états de son royaume, leur exposa l'humanité qu'il avait en nous connue, et les pria sur ce délibérer, en façon que le monde y eût exemple, comme avait jà en nous de gracieuseté honnête[14], aussi en eux de honnêteté gracieuse. Là fut décrété, par consentement unanime, que l'on offrirait entièrement leurs[15] terres, domaines et royaume, à en faire selon notre arbitre. [...]

clemence

« Ne voulant donc aucunement dégénérer de la débonnaireté[16] héréditaire de mes parents, maintenant je vous absous et délivre, et vous rends francs et libères[17] comme par avant.

De plus

« D'abondant[18], serez à l'issue des portes payés chacun pour trois mois, pour vous pouvoir retirer en vos maisons et familles, et vous conduiront en saulveté[19] six cents hommes d'armes et huit mille hommes de pied sous la conduite de mon écuyer Alexandre, afin que par les paysans ne soyez outragés[20]. Dieu soit avec vous. Je regrette de tout mon cœur

sûr

---

1. Espagnole (l'île) [Haïti]. Cette expédition de gens de Haïti sur les côtes de France est naturellement imaginaire; 2. Ravagé (latinisme); 3. Territoires (latinisme); 4. Les Sables-d'Olonne; 5. Félicitations; 6. Alpharbal, roi imaginaire; dont le nom est calqué sur Annibal ou Asdrubal; 7. Non rassasié de ses coups de chance; 8. Piraterie; 9. Noirmoutier, Yeu, Belle-Ile, etc. Invasion imaginaire; 10. Limitrophes; 11. Alors que, au lieu que; 12. Même ceux qui. Allusion à la captivité de François Ier après Pavie; 13. Services, tantôt masculin, tantôt féminin au XVIe siècle; 14. Générosité bienveillante, bienveillance généreuse; 15. *Leurs*, adjectif possessif, renvoie à *on*, c'est-à-dire aux Canarriens; 16. Clémence, sans idée péjorative; 17. Libres; 18. De plus; 19. Sûreté; 20. Les paysans, souvent malmenés par les hommes d'armes, se vengeaient sur les troupes en déroute.

que n'est[1] ici Picrochole, car je lui eusse donné à entendre que, sans mon vouloir, sans espoir d'accroître ni mon bien ni mon nom, était faite cette guerre. Mais puisqu'il est éperdu[2] et ne sait-on où ni comment est évanoui[3], je veux que son royaume demeure entier à son fils, lequel par ce qu'est par trop bas d'âge (car il n'a encore cinq ans accomplis) sera gouverné et instruit par les anciens princes et gens savants du royaume. Et par autant qu'[4]un royaume ainsi désolé serait facilement ruiné si on ne réfrénait la convoitise et avarice[5] des administrateurs d'icelui, j'ordonne et veux que Ponocrates soit sur tous ses gouverneurs entendant[6], avec autorité à ce requise, et assidu avec l'enfant jusques à ce qu'il le connaîtra idoine[7] de pouvoir par soi régir et régner.

« Je considère que facilité trop énervée et dissolue de pardonner ès malfaisants leur est occasion de plus légèrement[8] derechef mal faire, par cette pernicieuse confiance de grâce. Je considère que Moïse, le plus doux homme qui de son temps fût sur la terre, aigrement[9] punissait les mutins et séditieux on[10] peuple d'Israel. Je considère que Jules César, empereur tant débonnaire[11] que de lui dit Cicéron que sa fortune rien plus souverain n'avait sinon qu'il pouvait, et sa vertu meilleur n'avait sinon qu'il voulait toujours sauver et pardonner à un chacun[12], icelui toutefois, ce nonobstant, en certains endroits[13] punit rigoureusement les auteurs de rébellion.

« A ces exemples[14], je veux que me livrez avant le départir[15] premièrement ce beau Marquet, qui a été source et cause première de cette guerre par sa vaine outrecuidance; secondement, ses compagnons fouaciers, qui furent négligents de corriger sa tête folle sur l'instant; et finalement tous les conseillers, capitaines, officiers et domestiques de Picrochole, lesquels l'auraient incité, loué, ou conseillé de sortir[16] ses limites pour ainsi nous inquiéter. »

---

1. Les verbes qui expriment un sentiment n'exigent pas encore le subjonctif. On emploie le mode du fait, c'est-à-dire l'indicatif; 2. Perdu complètement; 3. Disparu sans laisser de traces; 4. Étant donné que, pour cette raison que; 5. Avidité (latinisme); 6. Ait autorité sur, soit contrôleur de; 7. Capable; 8. Avec plus de légèreté; 9. Sévèrement; 10. Au (en le). Singulier de *ès*; 11. Chef si clément; 12. L'avantage le plus considérable de sa situation, c'est qu'il pouvait (pardonner); la preuve la plus haute de sa vertu, c'est qu'il le voulait toujours; 13. Dans certains cas; 14. D'après ces exemples; 15. Départ; 16. Construit avec un complément direct, comme quelquefois *issir : sortir de*.

Chapitre LI

[Gargantua récompense les vainqueurs.]

Chapitre LII

COMMENT GARGANTUA FIT BATIR POUR LE MOINE L'ABBAYE DE THÉLÈME

Restait seulement le moine à pourvoir, lequel Gargantua voulait faire abbé de Seuillé, mais il le refusa. Il lui voulut donner l'abbaye de Bourgueil[1] ou de Saint-Florent, laquelle[2] mieux lui duirait[3], ou toutes deux, s'il les prenait à gré. Mais le moine lui fit réponse péremptoire que de moines il ne voulait charge ni gouvernement : « Car comment, disait-il, pourrai-je gouverner autrui, qui moi-même gouverner ne saurais ? S'il vous semble que je vous aie fait, et que puisse à l'avenir faire service agréable, octroyez-moi de fonder une abbaye à mon devis[4]. » La demande plut à Gargantua, et offrit tout son pays de Thélème[5], jouxte la rivière de Loire, à deux lieues de la grande forêt du Port-Huault, et requit à Gargantua qu'il instituât sa religion[6] au contraire de toutes autres.

« Premièrement donc, dit Gargantua, il n'y faudra jà bâtir murailles au circuit[7], car toutes autres abbayes sont fièrement[8] murées.

— Voire[9], dit le moine, et non sans cause : où mur y a, et devant, et derrière, y a force murmure, envie, et conspiration mutue[10]. »

Davantage[11], vu que en certains couvents de ce monde est en usance que si femme aucune[12] y entre, on nettoie la place par laquelle elles ont passé, fut ordonné que si religieux ou religieuse y entrait par cas fortuit, on nettoierait curieusement[13] tous les lieux par lesquels auraient passé, et parce

1. Une des plus riches d'Anjou ; 2. Celle des deux qui ; 3. Conviendrait ; 4. Plan ; 5. *Thélème* est un mot imaginaire ; tiré du grec *théléma* (« volonté »), il est le symbole de la règle de cette abbaye, où chacun fait ce qu'il veut ; mais le pays où Rabelais situe l'abbaye est réel : c'est en face de l'abbaye de Bourgueil, dans un îlot formé par l'Indre, le Vieux-Cher et la Loire. (v. carte p. 67) ; 6. Règle religieuse ; 7. Tout autour ; 8. D'une manière cruelle, sauvage ; 9. Oui ; 10. Mutuelle ; 11. En outre ; 12. Une femme. Aucune, dans une phrase positive, garde son sens positif étymologique ; 13. Soigneusement.

que ès religions[1] de ce monde tout est compassé[2], limité et réglé par heures, fut décrété que là ne serait horloge, ni cadran aucun. Mais, selon les occasions et opportunités, seraient toutes les œuvres dispensées[3]. « Car, disait Gargantua, la plus vraie perte du temps qu'il sût était de compter les heures. Quel bien en vient-il ? et la plus grande rêverie[4] du monde était soi gouverner au son d'une cloche, et non au dicté[5] de bon sens et entendement. »

Item, parce qu'en icelui temps on ne mettait en religion des femmes, sinon celles qu'[6]étaient borgnes, boiteuses, bossues, laides, défaites, folles, insensées, maléficiées[7] et tarées, ni les hommes, sinon catarrés[8], mal nés, niais et empêche[9] de maison...

« A propos, dit le moine, une femme qui n'est ni belle ni bonne, à quoi vaut toile[10] ?

— A mettre en religion, dit Gargantua.

— Voire, dit le moine, et à faire des chemises. »

[...] fut ordonné que là ne seraient reçues, sinon les belles, bien formées et bien naturées[11] et les beaux, bien formés et bien naturés.

Item, parce que ès couvents des femmes n'entraient les hommes, fut décrété que jà ne seraient là les femmes au cas que n'y fussent les hommes, ni les hommes en cas qui n'y fussent les femmes.

Item, parce que tant hommes que femmes, une fois reçues en religion, après l'an de probation[12], étaient forcés et astreints y demeurer perpétuellement leur vie durant, fut établi que tant hommes que femmes là reçus sortiraient quand bon leur semblerait, franchement et entièrement.

Item, parce que ordinairement les religieux faisaient trois vœux, savoir est de chasteté, pauvreté et obédience, fut constitué que là honorablement on pût être marié, que chacun fût riche et vécût en liberté. Au regard de l'âge légitime, les femmes y étaient reçues depuis dix jusques à quinze ans, les hommes, depuis douze jusques à dix et huit.

---

1. Règles religieuses, couvents; **2.** Exactement mesuré (comme avec le compas). **3.** Réglées, administrées; **4.** Folie; **5.** Prescription; **6.** On ne mettait pas de femmes en religion, sauf celles qui...; **7.** Frappées d'un maléfice, difformes; **8.** Catarrheux; **9.** Embarras, fardeau pour la maison; **10.** Prononcez: telle; d'où l'équivoque : une telle femme, et la toile; **11.** D'une heureuse nature; **12.** D'épreuve. Désigne le noviciat

Chapitre LIII

COMMENT FUT BATIE ET DOTÉE L'ABBAYE DES THÉLÉMITES

Pour le bâtiment[1] et assortiment[2] de l'abbaye, Gargantua fit livrer de comptant vingt et sept cents mille huit cents trente et un moutons à la grand'laine[3] et par chacun an, jusques à ce que le tout fût parfait, assigna sur la recette de la Dives[4] seize cents soixante et neuf mille écus au soleil[5] et autant à l'étoile poussinière[6]. Pour la fondation et entretènement[7] d'icelle, donna à perpétuité trois cents soixante neuf mille cinq cents quatorze nobles à la rose[8] de rente foncière, indemnés[9], amortis et solvables[10] par chacun an à la porte de l'abbaye, et de ce, leur passa belles lettres.

Le bâtiment fut en figure hexagone, en telle façon qu'à chacun angle était bâtie une grosse tour ronde, à la capacité de soixante pas en diamètre, et étaient toutes pareilles en grosseur et portrait[11]. La rivière de Loire découlait sur l'aspect de[12] septentrion. Au pied d'icelle était une des tours assise, nommée Artice[13]. En tirant vers l'orient était une autre nommée Calaer[14]. L'autre en suivant, Anatole[15]; l'autre après, Mésembrine[16], l'autre après Hespérie[17], la dernière, Crière[18]. Entre chacune tour était espace de trois cents douze pas. Le tout bâti à six étages, comprenant les caves sous terre pour un. Le second[19] était voûté à la forme d'une anse de panier, le reste était embrunché[20] de gui[21] de Flandres à forme de culs-de-lampes. Le dessus couvert d'ardoise fine, avec l'endossure[22] de plomb, à figures de petits mannequins et animaux bien assortis et dorés, avec les gouttières qui issaient[23] hors la muraille entre les croisées, peintes en figure diagonale d'or et azur, jusques en terre, où finissaient en grands écheneaux[24], qui tous conduisaient en la rivière par-dessous le logis.

---

1. Construction; 2. Fourniture; 3. Monnaie d'or, valant à peu près 16 francs; 4. Petite rivière de Poitou, d'ailleurs non navigable; 5. Monnaie frappée par Louis XI. Une de ses faces porte, au-dessus de l'écu de France, un petit soleil; 6. Monnaie burlesque, imaginée par analogie avec les écus au soleil. Une poussinière est une constellation; 7. Entretien; 8. Monnaie d'or anglaise; 9. Garantis sans dommage; 10. Payables; 11. Figure; 12. Du côté du; 13. Septentrionale (arctique); 14. Bel-air : composé grec; 15. Orientale; 16. Méridionale; 17. Occidentale; 18. Glacée; 19. C'est donc le rez-de-chaussée; 20. Revêtu (terme technique); 21. Gypse de Flandre (sorte de plâtre); 22. Faîtage; 23. Sortaient; 24. Chenaux, canaux.

Ledit bâtiment était cent fois plus magnifique que n'est Bonivet, ni Chambourg, ni Chantilly[1]; car en icelui étaient neuf mille trois cents trente et deux chambres, chacune garnie d'arrière-chambre, cabinet[2], garde-robe, chapelle, et issue en une grande salle. Entre chacune tour, au milieu dudit corps de logis, était une vis[3] brisée dedans icelui même corps, de laquelle les marches étaient part[4] de porphyre, part de pierre numidique[5], part de marbre serpentin[6], longues de XXII pieds; l'épaisseur était de trois doigts, l'assiette par nombre de douze entre chacun repos[7]. En chacun repos étaient deux beaux arceaux d'antique, par lesquels était reçue la clarté, et par iceux on entrait en un cabinet fait à claire voie, de largeur de la dite vis, et montait jusques au-dessus de la couverture, et là finissait en pavillon. Par icelle vis on entrait de chacun côté en une grande salle, et des salles ès chambres.

Depuis la tour Artice jusques à Crière étaient les belles grandes librairies[8] en grec, latin, hébreu, français, toscan et espagnol, disparties[9] par les divers étages selon iceux langages. Au milieu[10] était une merveilleuse vis, de laquelle l'entrée était par le dehors du logis en un arceau large de six toises. Icelle était faite en telle symétrie et capacité que six hommes d'armes, la lance sur la cuisse, pouvaient de front ensemble monter jusques au-dessus de tout le bâtiment.

Depuis le tour Anatole jusques à Mésembrine étaient belles grandes galeries[11], toutes peintes des antiques prouesses histoires et descriptions de la terre. Au milieu était une pareille montée et porte, comme avons dit, du côté de la rivière. Sur icelle porte était écrit en grosses lettres antiques[12] ce que s'en suit :

---

1. Le château de Bonivet (aujourd'hui Bonnivet) se trouve sur la commune de Neuville (arr[t] de Poitiers) : il avait été construit pour Guillaume Gouffier, né en 1488, tué à Pavie en 1525; Rabelais avait pu être témoin de sa construction, au temps où il vivait en Poitou. Le château de Chambourg (aujourd'hui Chambord) avait été transformé par François Ier : les travaux avaient commencé en 1519, ils étaient déjà avancés en 1534, mais durèrent jusqu'en 1556; il n'était d'ailleurs pas mentionné dans les premières éditions de Gargantua. Enfin, le château de Chantilly, dont le nom fut aussi ajouté après coup, était lui aussi un ancien château fort, que son propriétaire, Anne de Montmorency, fit transformer à partir de 1527. Les trois édifices sont évidemment cités comme exemples des nouvelles conceptions architecturales, auxquelles on donne maintenant le nom de style Renaissance. 2. Bureau particulier; 3. Escalier tournant; 4. En partie; 5. Marbre rouge; 6. Dont le fond est vert; 7. Douze marches d'un palier à l'autre; 8. Bibliothèques; 9. Réparties; 10. Au milieu du corps de logis qui renfermait les bibliothèques; 11. Sans doute portiques à arcades; 12. Romaines, par opposition aux lettres gothiques.

Chapitre LIV

INSCRIPTION MISE SUR LA GRANDE PORTE DE THÉLÈME

Ci n'entrez pas, hypocrites, bigots[1],
Vieux matagots[2] marmiteux[3], boursouflés,
Torcous[4], badauds, plus que n'étaient les Goths,
Ni Ostrogoths, précurseurs des magots ;
Hères[5], cagots[6], cafards empantouflés[7],
Gueux[8] mitouflés[9], frapparts[10] écorniflés[11].
Beffés[12], enflés, fagoteurs de tabus[13],
Tirez[14] ailleurs pour vendre vos abus. [...]

Chapitre LV

COMMENT ÉTAIT LE MANOIR[15] DES THÉLÉMITES

Au milieu de la basse-cour[16] était une fontaine magnifique de bel albâtre ; au dessus, les trois Grâces, avec cornes d'abondance, et jetaient l'eau par les mamelles, bouche, oreilles, yeux et autres ouvertures du corps. Le dedans du logis sur ladite basse-cour était sur gros piliers de cassidoine[17] et porphyre, à beaux arcs d'antique, au dedans desquels étaient belles galeries longues et amples, ornées de peintures et cornes de cerfs, licornes, rhinocéros, hippopotames, dents d'éléphants, et autres choses spectables[18]. Le logis des dames comprenait la tour Artice jusques à la porte Mésembrine. Les hommes occupaient le reste. Devant ledit logis les dames, afin qu'elles eussent l'ébattement, entre les deux premières tours, au dehors, étaient les lices[19], l'hippodrome, le théâtre et natatoires[20], avec les bains mirifiques à triple solier[21], bien garnis de tous assortiments et foison d'eau de myrte.

Jouxte[22] la rivière était le beau jardin de plaisance ; au milieu d'icelui, le beau labyrinthe. Entre les deux autres

---

1. Hypocrites ; 2. Grimaciers ; 3. Hypocrites ; 4. Faux dévots, qui tordent le cou et se contorsionnent en priant ; 5. Désigne ici le personnage qui porte la chemise de crin, rendue célèbre par Tartuffe ; 6. Étymologiquement : lépreux, hypocrite ; 7. Chaussés de pantoufles ; 8. Mendiants (ou simulateurs) ; 9. Emmitouflés ; 10. Moines débauchés, qui paient d'audace ; 11. Moqués ; 12. Bafoués ; 13. Fomenteurs de troubles, de querelles ; 14. Retirez-vous ; 15. Demeure ; 16. Cour intérieure ; 17. Calcédoine ; 18. Remarquables ; 19. Enceinte destinée aux tournois, joutes, courses ; 20. Piscines ; 21. Étages ; 22. Près de.

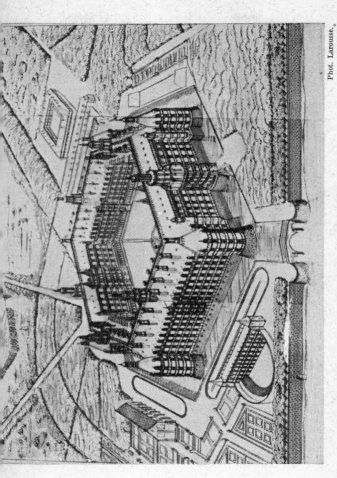

L'ABBAYE DE THÉLÈME

Essai de restitution par Ch. Lenormant (1840).

tours étaient les jeux de paume et de grosse balle. Du côté
de la tour Crière était le verger, plein de tous arbres fruitiers,
tous ordonnés en ordre quinconce. Au bout était le grand
parc, foisonnant en toute sauvagine[1]. Entre les tierces tours
étaient les buttes pour l'arquebuse, l'arc et l'arbalète. Les
offices, hors la tour Hespérie, à simple étage. L'écurie au
delà des offices. La fauconnerie au-devant d'icelles, gouver-
née[2] par asturciers[3] bien experts en l'art, et était annuelle-
ment fournie par les Candiens, Vénitiens et Sarmates, de
toutes sortes d'oiseaux paragons[4], aigles, gerfauts, autours,
sacres, laniers, faucons, éperviers, émerillons et autres, tant
bien faits[5] et domestiqués que, partants du château pour
s'ébattre ès champs, prenaient tout ce que rencontraient. La
vénerie[6] était un peu plus loin, tirant[7] vers le parc.

Toutes les salles, chambres et cabinets, étaient tapissés
en diverses sortes, selon les saisons de l'année[8]. Tout le
pavé était couvert de drap vert. Les lits étaient de broderie[9].
En chaque arrière-chambre était un miroir de cristallin[10],
enchâssé en or fin, au tour garni de perles, et était de telle
grandeur qu'il pouvait véritablement représenter toute la
personne[11]. A l'issue des salles du logis des dames, étaient
les parfumeurs et testonneurs[12], par les mains desquels
passaient les hommes quand ils visitaient les dames. Iceux
fournissaient par chacun matin les chambres des dames
d'eau rose[13], d'eau de naphe[14] et d'eau d'ange[15] et à chacune
la précieuse cassolette, vaporante[16], de toutes drogues
aromatiques.

Chapitre LVI

[Rabelais décrit le costume des Thélémites.]

---

1. Bêtes sauvages; 2. Dirigée; 3. Autoursiers : ceux qui s'occupent des autours
et oiseaux de chasse; 4. Modèles parfaits, c'est-à-dire les plus excellents de
leur espèce; 5. Dressés; 6. Le chenil (pour la chasse à courre); 7. En se dirigeant vers; 8. Tapis et tentures sont encore changés selon les saisons, au
XVIIᵉ siècle; 9. Recouverts d'étoffes brodées. Perrault dit encore : « Des
meubles en broderie »; 10. Cristal; 11. Jusqu'à la fin du XVIIᵉ siècle, on ne
connaît que des miroirs de petite taille; 12. Coiffeurs (*testonner :* coiffer);
13. Eau de roses; 14. Eau de fleurs d'oranger; 15. Eau de myrte; 16. Exha-
lant des vapeurs.

Chapitre LVII

COMMENT ÉTAIENT RÉGLÉS LES THÉLÉMITES À LEUR MANIÈRE DE VIVRE

Toute leur vie était employée[1], non par lois, statuts ou règles, mais selon leur vouloir et franc arbitre. Se levaient du lit quand bon leur semblait, buvaient, mangeaient, travaillaient, dormaient quand le désir leur venait. Nul ne les éveillait, nul ne les parforçait[2] ni à boire, ni à manger, ni à faire chose autre quelconques. Ainsi l'avait établi Gargantua. En leur règle n'était que cette clause :

FAIS CE QUE VOUDRAS,

parce que gens libéres[3], bien nés, bien instruits, conversants[4] en compagnies honnêtes, ont par nature un instinct et aiguillon qui toujours les pousse à faits vertueux et retire de vice, lequel ils nommaient honneur. Iceux, quand par vile subjection et contrainte sont déprimés[5] et asservis, détournent la noble affection[6] par laquelle à vertu franchement tendaient, à déposer et enfreindre[7] ce joug de servitude, car nous entreprenons toujours choses défendues et convoitons ce que nous est dénié[8].

Par cette liberté, entrèrent en louable émulation de faire tous ce qu'à un seul voyaient plaire. Si quelqu'un ou quelqu'une disait : « Buvons, » tous buvaient. Si disait : « Jouons », tous jouaient. Si disait : « Allons à l'ébat ès champs », tous y allaient. Si c'était pour voler[9] ou chasser, les dames, montées sur belles haquenées[10], avec leur palefroi[11] gorrier[12], sur le poing mignonnement engantelé[13] portaient chacune ou un épervier, ou un laneret, ou un émerillon; les hommes portaient les autres oiseaux.

Tant noblement étaient appris[14] qu'il n'était entre eux celui ni celle qui ne sût lire, écrire, chanter, jouer d'instruments harmonieux, parler de cinq à six langages, et en iceux composer, tant en carmes[15] qu'en oraison solue[16]. Jamais ne

---

1. Organisée; **2.** Contraignait; **3.** Libres; **4.** Vivant habituellement; **5.** Écrasés; **6.** Passion; **7.** Les deux infinitifs dépendent de *détournent :* emploient, en la détournant, leur noble passion à...; **8.** Ce qui nous est refusé; **9.** Chasser avec des oiseaux de proie; **10.** Jument ou cheval aisé à monter; **11.** Cheval de promenade. Les dames ont donc deux montures; **12.** Richement harnaché; **13.** Muni du gant; **14.** Cultivés, bien élevés; **15.** Vers; **16.** En prose : discours affranchi *(solu)* de la mesure.

furent vus chevaliers tant preux, tant galants, tant dextres[1]
à pied et à cheval, plus verts[2], mieux remuants, mieux
maniants tous bâtons[3], que là étaient. Jamais ne furent vues
dames tant propres[4], tant mignonnes, moins fâcheuses[5],
plus doctes à la main, à l'aiguille, à tout acte mulièbre[6]
honnête et libre, que là étaient. Par cette raison quand le
temps venu était que aucun[7] d'icelle abbaye, ou à la requête
de ses parents, ou pour autre cause, voulût issir[8] hors, avec
soi il emmenait une des dames, celle laquelle l'aurait pris
pour son dévot, et étaient ensemble mariés; et si bien avaient
vécu à Thélème en dévotion[9] et amitié, encore mieux la
continuaient-ils en mariage; d'autant[10] s'entr'aimaient-ils
à la fin de leurs jours comme le premier de leur noces. [...]

Chapitre LVIII

[Le livre se termine d'une manière assez inattendue par une
longue « énigme » en vers, due à Mellin de Saint-Gelais. Ce long
poème est présenté comme un document découvert lors des fouilles
destinées à creuser les fondations de l'abbaye de Thélème.]

1. Adroits; 2. Vigoureux; 3. Armes, au sens le plus général; 4. Élégantes;
5. Ennuyeuses; 6. De femme; 7. Quelqu'un; 8. Sortir; 9. Dévouement:
10. Tout autant.

PANTAGRUEL

1532

NOTICE

Ce qui se passait en 1532. — Voir page 7.

La publication. — On considère aujourd'hui comme certain que le Livre II (premier livre de *Pantagruel*) parut avant le Livre Ier *(Gargantua)* : au début du *Gargantua*, Rabelais renvoie à la généalogie des géants qui forme le chapitre premier du *Pantagruel ;* d'autre part, on ne s'expliquerait pas, si la création de frère Jean des Entommeures dans le *Gargantua* n'était postérieure au *Pantagruel*, pourquoi ce personnage si important est absent du premier livre du *Pantagruel* et reprend sa place dans les livres suivants.

Le Livre II : *Pantagruel, roi des Dipsodes, restitué en son naturel, avec ses faits et prouesses épouvantables, composés par feu M. Alcofribas, abstracteur de quintessence* fut publié à Lyon. En se fondant sur la date des foires de Lyon, sur la déclaration de la fin du Livre II — « les foires de Francfort prochainement venantes » —, et sur des allusions à plusieurs événements contemporains, A. Lefranc établit que ce livre, terminé en septembre 1532, fut imprimé en octobre, et mis en vente au cours de novembre, c'est-à-dire à l'époque où Rabelais fut nommé médecin de l'hôtel-Dieu de Lyon. Vers la fin de 1531, Rabelais, sa réputation de médecin bien établie, avait quitté Montpellier pour Lyon, ville lettrée et riche, célèbre par ses érudits, ses imprimeurs et ses libraires (les Juste, les Gryphe, les Nourry), comme par ses quatre foires annuelles. Dans l'été de 1532, il avait publié de graves ouvrages, dont les traités de Galien et les *Aphorismes* d'Hippocrate. Sans doute encouragé par le succès des almanachs (dont l'un, pour 1533, porte son nom) et les *Grandes et inestimables chroniques du grand et énorme géant Gargantua*, il écrivit à son tour, en les signant de l'anagramme de son nom « Alcofribas Nasier », les aventures d'un géant, Pantagruel. Ce livre fut condamné par la Sorbonne en 1533.

Les sources. — En dehors des anciens (Lucien, Pline, Plutarque, etc.), Rabelais cite de vieux romans français d'aventures (*Robert le diable, Fierabras* etc.), et l'*Orlando furioso*[1]. Le *Mystère des Actes des Apôtres*, de Simon Greban, et d'autres mystères

---

1. Prologue.

du XVe siècle ont fourni le nom d'un diable, Pantagruel, devenu dès lors populaire, qui a le don d'altérer les gens, par sa seule présence.

La réalité et l'actualité. — La peinture de la sécheresse, au chapitre II, fut peut-être inspirée par la sécheresse anormale de l'été 1532, la visite de Panurge aux églises pour « gagner les pardons[1] » par le jubilé de 1532, la description de la peste qui désole la ville d'Aspharage[2] par la peste de l'automne de la même année. On peut encore retrouver les préoccupations des contemporains dans l'annonce, burlesque il est vrai, du voyage de Pantagruel à la fin du livre[3].

1. Chap. XVII; 2. Chap. XXXII; 3. Chap. XXXIV.

CHAPITRE PREMIER

[Rabelais parle « de l'origine et de l'antiquité du grand Pantagruel ».]

CHAPITRE II

DE LA NATIVITÉ DU TRÈS REDOUTÉ PANTAGRUEL

Gargantua, en son âge de quatre cents quatre-vingts quarante et quatre ans[1] engendra son fils Pantagruel de sa femme nommée Badebec[2], fille du roi des Amaurotes[3], en Utopie, laquelle mourut du mal d'enfant. Mais pour entendre pleinement la cause et raison de son nom, qui lui fut baillé en baptême, vous noterez qu'en icelle année fut sécheresse tant grande en tout le pays d'Afrique que passèrent XXXVI mois, trois semaines, quatre jours, treize heures et quelque peu davantage sans pluie, avec chaleur de soleil si véhémente que toute la terre en était aride, et ne fut au temps d'Hélie[4] plus échauffée que pour lors, car il n'était arbre sur terre qui eût ni feuille ni fleur. Les herbes étaient sans verdure, les rivières taries, les fontaines à sec, les pauvres poissons délaissés de leurs propres éléments, vaguants et criants par la terre horriblement, les oiseaux tombants de l'air par faute de rosée, les loups, les renards, cerfs, sangliers, daims, lièvres, connils[5], belettes, fouines, blaireaux et autres bêtes, l'on trouvait par les champs mortes, la gueule bée[6].

Au regard des[7] hommes, c'était la grande pitié. Vous les eussiez vus tirants la langue comme lévriers qui ont couru six heures. Plusieurs se jetaient dedans les puits; autres se mettaient au ventre d'une vache pour être à l'ombre, et les appelle Homère, Alibantes[8].

Toute la contrée était à l'ancre[9]. C'était pitoyable cas de voir le travail des humains pour se garantir de cette horri-

---

1. Peut-être allusion à la longévité des patriarches bibliques; 2. En patois gascon: qui ouvre la bouche, niais; 3. *Amaurote* est le nom donné par Thomas More à une ville de son Utopie (1516). Dérivé d'un mot grec qui signifie: obscur, indistinct, donc: imaginaire; 4. Allusion à la sécheresse que Jéhovah, à la demande d'Élie, fit sévir sur terre pendant trois ans (*Rois*, XVII et XVIII); 5. Lapins; 6. Ouverte. *Béer* est le même mot que *bader*, qui se trouve dans *Badebec*; 7. En ce qui concerne; 8. Les desséchés. Réminiscence de Plutarque, commentant Homère; 9. C'est-à-dire immobile

fique altération, car il avait prou[1] affaire de sauver l'eau
bénite par les églises, à ce que ne fût déconfite[2], mais l'on
y donna tel ordre, par le conseil de messieurs les cardinaux
et du saint Père, que nul n'en osait prendre qu'une venue[3].
Encore, quand quelqu'un entrait en l'église, vous en eussiez
vu à vingtaine, de[4] pauvres altérés qui venaient au derrière
de celui qui la distribuait à quelqu'un, la gueule ouverte
pour en avoir quelque gouttelette, comme le mauvais riche[5],
afin que rien ne se perdît. O que bienheureux fut en icelle
année celui qui eut cave fraîche et bien garnie!

Le philosophe raconte, en mouvant la question par quoi
c'est que l'eau de la mer est salée, qu'au temps que Phébus
bailla le gouvernement de son chariot lucifique[6] à son fils
Phaéton, ledit Phaéton, mal appris en l'art et ne sachant
ensuivre la ligne écliptique[7] entre les deux tropiques de la
sphère du soleil, varia de son chemin, et tant approcha de
terre qu'il mit à sec toutes les contrées subjacentes, brûlant
une grande partie du ciel que les philosophes appellent
via lactea[8], et les lifrelofres[9] nomment le chemin saint
Jacques, combien que les plus huppés poètes disent être la
part où[10] tomba le lait de Junon, lorsqu'elle allaita Hercule.
Adonc la terre fut tant échauffée qu'il lui vint une sueur
énorme, dont elle sua toute la mer, qui par ce est salée, car
toute sueur est salée, ce que vous direz être vrai, si vous
voulez tâter[11] de la vôtre propre. [...]

Quasi pareil cas arriva en cette dite année, car un jour de
vendredi, que tout le monde s'était mis en dévotion, et faisait
une belle procession, avec force litanies et beaux préchants[12],
suppliant à Dieu omnipotent le vouloir regarder de son
œil de clémence en tel déconfort[13], visiblement furent vues
de terre sortir grosses gouttes d'eau, comme quand quelque
personne sue copieusement. Et le pauvre peuple commença
à s'éjouir comme si c'eût été chose à eux profitable, car les
aucuns[14] disaient que d'humeur[15] il n'y en avait goutte en
l'air dont on espérât avoir pluie, et que la terre suppléait
au défaut. Les autres gens savants disaient que c'était pluie

---

1. Assez (cf. peu ou prou); 2. Épuisée; 3. Un coup, une fois; 4. Par ving-
taines, des...; 5. Allusion à la parabole de Lazare et du mauvais riche; 6. Qui
produit la lumière; 7. L'orbite; 8. Voie lactée. L'expression n'était pas encore
francisée; 9. Les gens du peuple; 10. Quoique les poètes les plus considé-
rables disent que c'est la partie où; 11. Goûter; 12. Psaumes récités par le
premier chantre de l'église; 13. Désolation; 14. Certains (cf. l'expression
encore usitée : *d'aucuns*); 15. Humidité.

des antipodes, comme Sénèque narre au quart livre *Questionum naturalium*[1], parlant de l'origine et source du Nil. Mais ils y furent trompés, car, la procession finie, alors que chacun voulait recueillir de cette rosée et en boire à plein godet[2] trouvèrent que ce n'était que saumure, pire et plus salée que n'était l'eau de la mer.

Et parce qu'en ce propre jour naquit Pantagruel, son père lui imposa tel nom, car *Panta*, en grec, vaut autant à dire comme tout, et *Gruel* en langue agarène[3], vaut autant comme altéré, voulant inférer[4] qu'à l'heure de sa nativité le monde était tout altéré, et voyant, en esprit de prophétie, qu'il serait quelque jour dominateur des altérés. [...]

Chapitre III

DU DEUIL QUE MENA GARGANTUA DE LA MORT DE SA FEMME BADEBEC

Quand Pantagruel fut né, qui fut bien ébahi et perplexe ? ce fut Gargantua son père. Car, voyant d'un côté sa femme Badebec morte, et de l'autre son fils Pantagruel né, tant beau et tant grand, ne savait que dire ni que faire, et le doute qui troublait son entendement[5] était à savoir s'il devait pleurer pour le deuil de sa femme, ou rire pour la joie de son fils. D'un côté et d'autre, il avait arguments sophistiques[6] qui le suffoquaient, car il les faisait très bien *in modo et figura*[7], mais il ne les pouvait souldre[8], et par ce moyen, demeurait empêtré comme la souris empeigée[9], ou un milan pris au lacet.

« Pleurerai-je ? disait-il. Oui, car pourquoi ? Ma tant bonne femme est morte, qui était la plus ceci, la plus cela qui fût au monde. Jamais je ne la verrai, jamais je n'en recouvrerai une telle : ce m'est une perte inestimable. O mon Dieu ! que t'avais-je fait pour ainsi me punir ? Que n'envoyas-tu la mort à moi premier[10] qu'à elle ? car vivre sans elle ne m'est que languir. Ha ! Badebec, ma mignonne,

---

1. Les Questions naturelles; Sénèque suppose que la crue du Nil procède d'eaux de pluie lointaines qui cheminent par des canaux souterrains; 2. A pleine tasse; 3. Moresque. L'étymologie est naturellement burlesque. Dans les *Mystères* du XVe siècle, Pantagruel est le nom d'un petit démon qui altère; puis le mot se prend par extension pour désigner la suffocation; 4. Exprimer; 5. Intelligence; 6. Logiques, sans nuance péjorative; 7. Selon les modes et figures (du syllogisme); 8. Résoudre; 9. Engluée de poix; 10. Avant, plutôt.

m'amie[1], ma tendrette, ma savate, ma pantoufle, jamais je ne te verrai. Ha! pauvre Pantagruel, tu as perdu ta bonne mère, ta douce nourrice, ta dame très aimée. Ha! fausse[2] mort, tant tu m'es malévole[3], tant tu m'es outrageuse, de me tollir[4] celle à laquelle immortalité appartenait de droit. »

Et, ce disant, pleurait comme une vache, mais tout soudain riait comme un veau, quand Pantagruel lui venait en mémoire. « Ho! mon petit fils, disait-il, mon peton[5], que tu es joli! et tant je suis tenu[6] à Dieu de ce qu'il m'a donné un si beau fils, tant joyeux, tant riant, tant joli. Ho, ho, ho, ho! que je suis aise! buvons. Ho! laissons toute mélancolie; apporte du meilleur[7], rince les verres, boute[8] la nappe, chasse ces chiens, souffle ce feu, allume la chandelle, ferme cette porte, taille ces soupes[9], envoie ces pauvres, baille-leur ce qu'ils demandent, tiens ma robe[10] que je me mette en pourpoint pour mieux festoyer les commères. »

Ce disant, ouït la litanie et les mémentos[11] des prêtres qui portaient sa femme en terre, dont[12] laissa son bon propos et tout soudain fut ravi ailleurs[13] disant : « Seigneur Dieu, faut-il que je me contriste encore ? Cela me fâche, je ne suis plus jeune, je deviens vieux, le temps est dangereux, je pourrai prendre quelque fièvre : me voilà affolé. Foi de gentilhomme, il vaut mieux pleurer moins et boire davantage. Ma femme est morte, et bien, par Dieu *(da jurandi)*[14], je ne la ressusciterai pas par mes pleurs. Elle est bien; elle est en paradis pour le moins, si mieux n'est. Elle prie Dieu pour nous; elle est bien heureuse; elle ne se soucie plus de nos misères et calamités. Autant nous en pend à l'œil[15]. Dieu gard' le demeurant[16]. Il me faut penser d'en trouver une autre.

« Mais voici que[17] vous ferez, dit-il aux sages femmes (où sont-elles ? Bonnes gens, je ne vous peux voir) : allez à l'enterrement d'elle, et cependant je bercerai ici mon fils, car je me sens bien fort altéré, et serais un danger de tomber malade. » [...]

---

1. Mon amie; **2.** Perfide; **3.** Que tu m'es malveillante (cf. bénévole, qui est resté); **4.** Enlever; **5.** Mon petit pied (terme de tendresse); **6.** Que je suis reconnaissant envers; **7.** Sous-entendu vin; **8.** Place, mets (ordinairement : *pousser*); **9.** Morceaux de pain à tremper dans le bouillon (cf. I, XI); **10.** Vêtement de dessus que les hommes portaient au XVIe siècle; **11.** Prières pour les morts; **12.** A la suite de quoi il laissa; **13.** Entraîné vers d'autres pensées; **14.** *Da jurandi (veniam)* : accordez permission de jurer. Formule d'excuse pour avoir allégué le nom de Dieu; **15.** Nous avons la même menace devant les yeux; **16.** Celui qui reste, c'est-à-dire moi. Cf. Villon (*Testament*, 232) : « Et Dieu sauve le *remenant* » = le demeurant; **17.** Ce que.

Chapitre IV

DE L'ENFANCE DE PANTAGRUEL

Je trouve par[1] les anciens historiographes et poètes, que plusieurs sont nés en ce monde en façons bien étranges, qui seraient trop longues à raconter : lisez le VII livre de Pline, si avez loisir. Mais vous n'en ouïtes jamais d'une si merveilleuse comme fut celle de Pantagruel, car c'était chose difficile à croire comment il crût en corps et en force en peu de temps. Et n'était rien Hercules, qui étant au berceau tua les deux serpents, car lesdits serpents étaient bien petits et fragiles, mais Pantagruel, étant encore au berceau, fit cas[2] bien épouvantables.

Je laisse ici à dire comment, à chacun de ses repas, il humait[3] le lait de quatre mille six cents vaches, et comment, pour lui faire un poêlon à cuire sa bouillie, furent occupés tous les poêliers de Saumur en Anjou, de Villedieu en Normandie, de Bramont en Lorraine, et lui baillait-on ladite bouillie en un grand timbre[4] qui est encore de présent à Bourges, près du palais[5]. Mais les dents lui étaient déjà tant crues et fortifiées qu'il en rompit, dudit timbre, un grand morceau, comme très bien apparaît[6].

Certain jour, vers le matin, qu'on le voulait faire téter une de ses vaches (car de nourrices il n'en eut jamais autrement, comme dit l'histoire), il se défit des liens qui le tenaient au berceau un des bras, et vous prend ladite vache pardessous le jarret, et lui mangea les deux tétins et la moitié du ventre, avec le foie et les rognons, et l'eût toute dévorée n'eût été qu'elle criait horriblement, comme si les loups la tenaient aux jambes, auquel cri le monde arriva, et otèrent ladite vache à Pantagruel. Mais ils ne surent si bien faire que le jarret ne lui en demeurât comme il le tenait, et le mangeait très bien, comme vous feriez d'une saucisse, et quand on lui voulut ôter l'os, il l'avala bientôt, comme un cormoran ferait d'un petit poisson, et après commença à dire : « Bon, bon, bon », car il ne savait encore bien parler, voulant donner à entendre qu'il l'avait trouvée fort bon, et

1. Chez, dans l'œuvre des; 2. Prouesses; 3. Buvait; 4. Grande auge en pierre, servant à abreuver les bestiaux; 5. Le palais de Jean de Berry. Au Moyen Age, il y avait devant ce palais une cuve de pierre appelée l'*écuelle du géant*. On l'emplissait une fois par an de vin distribué aux pauvres; 6. Comme cela est très visible.

qu'il n'en fallait plus qu'autant[1]. Ce que voyants, ceux qui le servaient le lièrent à gros câbles, comme sont ceux que l'on fait à Tain[2] pour le voyage du sel à Lyon, ou comme sont ceux de la grand nauf[3] *Françoise*[4] qui est au port de Grâce[5] en Normandie. [...]

Mais voici qu'arriva un jour d'une grande fête que son père Gargantua faisait un beau banquet à tous les princes de sa cour. Je crois bien que tous les officiers de sa cour étaient tant occupés au service du festin que l'on ne se souciait du pauvre Pantagruel, et demeurait ainsi à ordinaire *reculorum*[6]. Que fit-il? Qu'[7]il fit, mes bonnes gens, écoutez. Il essaya de rompre les chaînes du berceau avec les bras, mais il ne put, car elles étaient trop fortes. Adonc il trépigna tant des pieds qu'il rompit le bout de son berceau, qui toutefois était d'une grosse poste[8] de sept empans[9] en carré, et ainsi qu'il[10] eut mis les pieds dehors, il s'avala[11] le mieux qu'il put, en sorte qu'il touchait les pieds en terre. Et alors, avec grande puissance, se leva, emportant son berceau sur l'échine ainsi lié, comme une tortue qui monte contre une muraille, et à le voir semblait que ce fût une grande caraque[12] de cinq cents tonneaux qui fût debout.

En ce point, entra en la salle où l'on banquetait, et hardiment, qu'il épouvanta bien l'assistance; mais par autant qu'[13]il avait les bras liés dedans, il ne pouvait rien prendre à manger, mais en grande peine s'inclinait pour prendre à tout[14] la langue quelque lippée. Quoi voyant[15], son père entendit bien[16] que l'on l'avait laissé sans lui bailler à repaître[17], et commanda qu'il fût délié desdites chaînes par le conseil[18] des princes et seigneurs assistants, ensemble aussi[19] que les médecins de Gargantua disaient que, si l'on le tenait ainsi au berceau, qu'[20]il serait toute sa vie sujet à la gravelle[21]. Lorsqu'il fut déchaîné, l'on le fit asseoir et

1. Et qu'il ne demandait qu'à recommencer; 2. Il y avait à Tain, sur le Rhône, un entrepôt général du sel gabelé. Pas de documents anciens sur l'industrie de la corderie à Tain; 3. Navire; 4. La *Grande-Françoise*, le plus grand bateau alors construit en France. Il ne put jamais prendre la mer. Deux tentatives pour le lancer échouèrent (1533-1535). On dut le démolir; 5. Le Havre (nom complet : le Havre de *Grâce*), fondé en 1517 par François Ier; 6. A l'écart. Une *reculée* est un coin écarté. Expression macaronique, tirée de l'argot scolaire. Jeu de mots avec *à reculons* ; 7. Ce que. Remarquer les apostrophes de l'auteur; 8. Poutre; 9. *Empan* ou *pan :* mesure de 22 à 24 centimètres; 10. Lorsqu'il; 11. Il se laissa glisser *à val*, en bas; 12. Grand bâtiment génois; 13. Parce que, étant donné que; 14. Avec; 15. Ce que voyant; 16. Comprit; 17. Manger. La forme est employée au sens réfléchi sans pronom (= se repaître); 18. Selon le conseil; 19. D'autant plus que; 20. Le pléonasme de *que* est assez fréquent chez Rabelais; 21. La chaleur des reins, d'après les anciens, engendrait la gravelle.

reput[1] fort bien, et mit son dit berceau en plus de cinq cents mille pièces d'un coup de poing qu'il frappa au milieu par dépit[2], avec protestation de jamais n'y retourner.

CHAPITRE V

[Prouesses et voyages d'études du jeune Pantagruel.]

CHAPITRE VI

COMMENT PANTAGRUEL RENCONTRA UN LIMOUSIN QUI CONTREFAISAIT LE LANGAGE FRANÇAIS[3]

Quelque jour, je ne sais quand, Pantagruel se pormenait[4] après souper avec ses compagnons par la porte dont[5] l'on va à Paris. Là rencontra un écolier[6] tout joliet qui venait par icelui chemin, et après qu'ils se furent salués, lui demanda :

« Mon ami, dont viens-tu à cette heure ? »

L'écolier lui répondit :

« De l'alme, inclyte et célèbre académie que l'on vocite Lutèce[7].

— Qu'est-ce à dire ? dit Pantagruel à un de ses gens.

— C'est, répondit-il, de Paris.

— Tu viens donc de Paris, dit-il. Et à quoi passez-vous le temps, vous autres messieurs étudiants audit Paris ? »

Répondit l'écolier :

« Nous transfrétons la Séquane au dilucule et crépuscule[8] ; nous déambulons par les compites et quadriviers de l'urbe[9] ; nous despumons la verbocination latiale[10]. [...] Puis cauponisons ès tabernes méritoires[11] de la Pomme de pin, du Castel, de la Madeleine et de la Mule, belles spatules vervécines,

---

1. Et il se reput : toujours le sens pronominal ; 2. Irritation violente, et non pas comme aujourd'hui simple mouvement d'humeur ; 3. La manie d'écorcher le latin est une manie d'étudiant. *Geoffroy Tory*, grammairien et imprimeur, a laissé dans son *Champfleury* (1529) un exemple de ce jargon. Rabelais lui a emprunté la première phrase de l'écolier ; 4. Se promenait ; 5. D'où. Pantagruel étudie en ce moment à Orléans ; 6. Étudiant ; 7. Il faut traduire les phrases de l'écolier limousin à peu près comme si c'étaient des phrases latines. Aucun des latinismes dont il se sert n'était encore passé dans la langue, d'où l'effet d'étrangeté et de cocasserie : de la bienfaisante, illustre et célèbre Université que l'on appelle Paris ; 8. Nous passons la Seine matin et soir ; 9. Nous nous promenons par les places et les carrefours de la ville ; 10. Nous polissons le vocabulaire latin ; 11. Puis nous mangeons dans les auberges... *Méritoire*, au sens propre du latin *meritorius* : qui procure un gain.

perforaminées de pétrosil[1], et si, par forte fortune, y a
rareté ou pénurie de pécune en nos marsupies[2], et soient
exhaustes de métal ferruginé[3], pour l'écot nous dimittons
nos codices et vestes opignerées[4], prestolants les tabellaires
à venir des pénates et lares patriotiques[5]. »

A quoi Pantagruel dit :

« Que diable de langage est ceci ? Par Dieu, tu es quelque
hérétique.

— Seignor, non, dit l'écolier, car libentissiment dès ce
qu'il illucesce quelque minutule lèche du jour[6], je démigre
en quelqu'un de ces tant bien architectés moustiers[7], et là,
m'irrorant de belle eau lustrale[8], grignotte d'un transon de
quelque missique précation de nos sacrificules[9], et, sub-
mirmillant mes précules horaires[10], élue et absterge mon
anime de ses inquinaments nocturnes[11]. Je révère les olym-
picoles[12]. Je vénère latrialement le supernel astripotent[13].
Je dilige et rédame mes proximes[14]. Je serve les prescrits
décalogiques[15], et selon la facultatule de mes vires, n'en
discède le late unguicule[16]. Bien est vériforme qu'à cause
que Mammone ne supergurgite goutte en mes locules[17], je
suis quelque peu rare et lent à superéroger les élémosynes
à ces égènes quéritants leur stipe hostiatement[18].

— Eh bien, dit Pantagruel, qu'est-ce que veut dire ce fol ?
Je crois qu'il nous forge ici quelque langage diabolique et
qu'il nous charme[19] comme enchanteur. »

A quoi dit un de ses gens :

« Seigneur, sans doute ce galant veut contrefaire la langue
des Parisiens ; mais il ne fait qu'écorcher le latin et cuide[20]
ainsi pindariser[21] et lui semble bien qu'il est quelque grand

---

1. ... de belles épaules de mouton, piquées de persil ; 2. Si par hasard, il
y a rareté ou manque d'argent dans nos bourses... ; 3. Et si elles sont vides
de métal monnayé ; 4. Pour payer, nous abandonnons nos cahiers et nos
vêtements mis en gage ; 5. Attendant les messages à venir du foyer de nos pères ;
6. Très volontiers, dès qu'il commence à luire quelque tout petit lambeau
de jour ; 7. Je me rends dans l'une de ces églises si bien bâties ; 8. M'aspergeant
de belle eau bénite ; 9. Je grignote un morceau de quelque prière de la messe
dite par les prêtres (*sacrificulus*, prêtre) ; 10. Marmottant mes prières réglées
par les heures ; 11. Je lave et je nettoie mon âme de ses souillures de la nuit ;
12. Les habitants du ciel ; 13. Je vénère d'un culte d'adoration le Dieu d'en haut,
maître des astres ; 14. Je chéris mon prochain et lui rends amour pour amour ;
15. J'observe les commandements du décalogue ; 16. Selon la petite puissance
de mes forces, je ne m'en écarte pas de la largeur d'un ongle ; 17. Il est bien
vrai que, parce que Mammon ne dégorge pas dans ma bourse ; 18. A donner
les aumônes à ces pauvres cherchant leur obole de porte en porte ; 19. Ensorcèle ;
enchanteur = sorcier ; 20. Croit ; 21. Parler comme Pindare (c'est-à-dire d'un
style sublime et pompeux).

orateur en français parce qu'il dédaigne l'usance[1] commun de parler. »

A quoi dit Pantagruel :

« Est-il vrai ? »

L'écolier répondit :

« Seignor missaire[2], mon génie n'est point apte nate à ce que dit ce flagitiose nébulon[3], pour excorier la cuticule de notre vernacule gallique[4]; mais viceversement je gnave opère[5] et par vèle et rames je m'énite[6] de le locupleter de la redondance latinicome[7].

— Par Dieu, dit Pantagruel, je vous apprendrai à parler. Mais devant[8], réponds-moi, dont[9] es-tu ? »

A quoi dit l'écolier :

« L'origine primève de mes aves et ataves[10] fut indigène des régions Lémoviques[11], où requiesce le corpore de l'agiotade saint Martial[12].

— J'entends bien, dit Pantagruel, tu es Limousin, pour tout potage, et tu veux ici contrefaire le Parisien. Or viens çà, que je te donne un tour de pigne[13]. »

Lors le prit à la gorge, lui disant :

« Tu écorches le latin; par saint Jean, je te ferai écorcher le renard[14], car je t'écorcherai tout vif. »

Lors commença le pauvre Limousin à dire :

« Vée dicou! gentilâtre, ho! saint Marsault, adiouda mi; hau, hau, laissas à quau, au nom de Dious, et ne me touquas grou[15]. »

A quoi dit Pantagruel :

« A cette heure parles-tu[16] naturellement. »

Et ainsi le laissa. [...]

CHAPITRE VII

[Pantagruel arrive à Paris. Premières impressions. Inventaire des livres de la bibliothèque de Saint-Victor.]

1. L'usage; 2. Seigneur messire; 3. Mon génie n'est point né propre à ce que dit cet infâme vaurien; 4. Pour écorcher la peau de notre français vulgaire; 5. Mais au contraire je travaille; 6. Et avec voiles et rames je m'efforce; 7. De l'enrichir de l'abondance latine (exactement: qui a une chevelure latine); 8. Auparavant; 9. D'où; 10. L'origine première de mes aïeux et ancêtres; 11. Le Limousin; 12. Où repose le corps du très auguste saint Martial; 13. Peigne. Que je te donne une peignée; 14. Rendre gorge; 15. C'est du Limousin : « Eh! je dis! gentilhomme! Ho! Saint Martial, aide-moi! Laissez-moi ici, au nom de Dieu! et ne me touchez pas. »; 16. Tu parles. L'inversion du sujet est amenée par la locution adverbiale qui ouvre la phrase.

Chapitre VIII

*COMMENT PANTAGRUEL, ÉTANT À PARIS, REÇUT
LETTRES[1] DE SON PÈRE GARGANTUA, ET LA COPIE
D'ICELLES*

Pantagruel étudiait fort bien, comme assez entendez, et
profitait de même, car il avait l'entendement à double
rebras[2] et capacité de mémoire à la mesure de douze oires[3]
et bottes[4] d'olif[5]. Et comme il était ainsi là demeurant,
reçut un jour lettres de son père en la manière qui s'ensuit :

« Très chef fils, entre les dons, grâces et prérogatives desquelles le souverain plasmateur[6] Dieu tout puissant a
endouairé[7] et orné[8] l'humaine nature à son commencement,
celle me semble singulière et excellente par laquelle[9] elle
peut, en état mortel, acquérir espèce d'immortalité, et, en
décours[10] de vie transitoire, perpétuer son nom et sa semence,
ce qu'est fait par lignée issue de nous en mariage légitime.
Dont[11] nous est aucunement[12] instauré[13] ce qui nous fut tollu[14]
par le péché de nos premiers parents, esquels fut dit que,
parce qu'ils n'avaient été obéissants au commandement de
Dieu le créateur, ils mourraient, et, par mort, serait réduite
à néant cette tant magnifique plasmature[15] en laquelle avait
été l'homme créé.

« Mais, par ce moyen de propagation séminale, demeure
ès enfants ce qu'était de perdu ès parents, et ès neveux[16]
ce que dépérissait ès enfants, et ainsi successivement jusques
à l'heure du jugement final, quand Jésus-Christ aura rendu
à Dieu le Père son royaume pacifique, hors tout danger et
contamination[17] de péché : car alors cesseront toutes géné-
rations et corruptions, et seront les éléments hors de leurs
transmutations continues[18], vu que la paix tant désirée sera
consumée[19] et parfaite, et que toutes choses seront réduites[20]
à leur fin et période[21].

« Non donc sans juste et équitable cause je rends grâces à
Dieu, mon conservateur, de ce qu'il m'a donné pouvoir voir

1. Lettres, au pluriel, ne désigne qu'une seule lettre; latinisme *(lit-
terae)* ; 2. Repli; 3. Outres; 4. Tonneaux; 5. D'huile; 6. Créateur; 7. Doté;
8. Gratifié (latinisme); 9. A pour antécédent : celle; 10. Au cours; 11. A la
suite de quoi, par où; 12. En quelque façon; 13. Rétabli; 14. Enlevé; 15. Forme;
16. Petits-enfants. Sens conservé dans arrière-neveux; 17. Souillure; 18. Les
éléments seront arrachés à leurs incessantes transformations; 19. Consommée;
20. Ramenées; 21. Révolution.

mon antiquité chenue refleurir en ta jeunesse; car quand, par le plaisir de lui, qui tout régit et modère[1], mon âme laissera cette habitation humaine, je ne me réputerai[2] totalement mourir, ains passer d'un lieu en autre, attendu que, en toi et par toi, je demeure en mon image visible en ce monde, vivant, voyant et conversant[3] entre gens d'honneur et mes amis, comme je soulais[4]. Laquelle mienne conversation[5] a été, moyennant l'aide et grâce divine, non sans péché, je le confesse (car nous péchons tous et continuellement requérons à Dieu qu'il efface nos péchés), mais sans reproche.

« Par quoi, ainsi comme[6] en toi demeure l'image de mon corps, si pareillement ne reluisaient les mœurs de l'âme, l'on ne te jugerait être garde et trésor de l'immortalité de notre nom, et le plaisir que prendrais ce voyant serait petit, considérant que la moindre partie de moi, qui est le corps, demeurerait, et la meilleure, qui est l'âme, et par laquelle demeure notre nom en bénédiction entre les hommes, serait dégénérante[7] et abâtardie. Ce que je ne dis par défiance que j'aie de ta vertu[8], laquelle m'a été jà par ci-devant éprouvée[9] mais pour plus fort t'encourager à profiter de bien en mieux.

« Et ce que présentement t'écris n'est tant afin qu'en ce train vertueux tu vives, que d'ainsi vivre et avoir vécu tu te réjouisses et te rafraîchisses[10] en courage[11] pareil pour l'avenir. A laquelle entreprise parfaire et consommer[12], il te peut assez souvenir comment je n'ai rien épargné; mais ainsi y ai-je secouru[13] comme si je n'eusse autre trésor en ce monde que de te voir une fois[14] en ma vie absolu[15] et parfait tant en vertu, honnêteté et prudhommie[16], comme en tout savoir libéral et honnête, et tel te laisser après ma mort comme un miroir représentant la personne de moi ton père, et sinon tant excellent et tel de fait comme je te souhaite, certes bien tel en désir.

« Mais, encore que mon feu père, de bonne mémoire, Grandgousier, eût adonné[17] tout son étude[18] à ce que je

---

1. Gouverne; 2. Je ne considérerai pas que je meurs tout à fait, mais...; 3. Fréquentant; 4. Avais coutume; 5. Fréquentation, vie sociale; 6. Ainsi que; 7. Qui déchoit; 8. Parce que je me défierais de ta vertu; 9. Prouvée; 10. Tu reprennes des forces fraîches; 11. Ensemble de dispositions et de sentiments; 12. Pour mener à bien cette entreprise; 13. Porté aide; 14. Un jour; 15. Parfait. La langue est ici très redondante; 16. Sagesse, l'ensemble des qualités qui font le prud'homme (l'honnête homme); 17. Consacré; 18. Tout son zèle.

profitasse en toute perfection et savoir politique et que mon labeur et étude correspondît très bien, voire encore outrepassât son désir[1], toutefois, comme tu peux bien entendre, le temps n'était tant idoine[2] ni commode ès lettres comme est de présent, et n'avais copie[3] de tels précepteurs comme tu as eu. Le temps était encore ténébreux et sentant l'infélicité[4] et calamité des Goths[5] qui avaient mis à destruction toute bonne littérature. Mais, par la bonté divine, la lumière et dignité a été de mon âge rendue ès lettres, et y vois tel amendement que de présent à difficulté[6] serais-je reçu en la première classe des petits grimauds[7], qui[8], en mon âge viril étais (non à tort) réputé le plus savant dudit siècle.

« Ce que je ne dis par jactance vaine, encore que je le puisse louablement faire en t'écrivant, comme tu as l'autorité de Marc Tulle[9] en son livre de *Vieillesse*, et la sentence de Plutarque au livre intitulé *Comment on se peut louer sans envie*[10], mais pour te donner affection de plus haut tendre.

« Maintenant toutes disciplines[11] sont restituées[12], les langues instaurées[13] : grecque, sans laquelle c'est honte qu'une personne se dise savant[14]; hébraïque, chaldaïque, latine. Les impressions[15] tant élégantes et correctes, en usance[16], qui ont été inventées de mon âge par inspiration divine, comme, à contre-fil[17], l'artillerie[18] par suggestion diabolique. Tout le monde est plein de gens savants, de précepteurs très doctes, de librairies[19] très amples, qu'il m'est avis que ni au temps de Platon, ni de Cicéron, ni de Papinien[20] n'était telle commodité d'étude qu'on y voit maintenant; et ne se faudra plus dorénavant trouver en place ni en compagnie, qui[21] ne sera bien expoli[22] en l'officine[23] de Minerve. Je vois les brigands, les bourreaux, les

1. Liberté de construction : *désir* est complément indirect de *correspondît*, direct de *outrepassât* ; 2. Apte; 3. Abondance; 4. Infortune; 5. Désigne les gens du Moyen Age en général. Pour les humanistes, devient synonyme de barbare; 6. Avec difficulté; 7. Écoliers des classes élémentaires; 8. Moi qui; 9. Cicéron. Dans le *De senectute*, le vieux Caton explique qu'un vieillard peut parler de soi; 10. « Il faut être indulgent aux vieillards qui se vantent » dit Plutarque, ouvrage cité, chap. xx; 11. Études; 12. Rétablies en leur premier état; 13. Mises en honneur; 14. Éloge du grec, commun à tous les humanistes. François Ier venait de fonder le Collège royal pour l'enseignement des trois langues; 15. Livres imprimés; 16. (Sont) en usage; 17. Au rebours (expression empruntée à l'art du tissage); 18. L'ensemble des engins de guerre. Dès le Moyen Age, l'artillerie est considérée comme une invention du diable; 19. Bibliothèques; 20. Célèbre jurisconsulte romain, du temps de Marc Aurèle (142-212 après J.-C.). Pour Rabelais, un grand jurisconsulte suffit à la gloire d'une époque; 21. *Qui* : si on; 22. Poli, perfectionné; 23. Dans l'atelier de Minerve, dans l'école de la sagesse. Officine n'a pas de sens péjoratif.

aventuriers[1], les palefreniers de maintenant plus doctes que les docteurs[2] et prêcheurs[3] de mon temps.

« Que dirai-je ? Les femmes et filles ont aspiré à cette louange et manne céleste de bonne doctrine[4]. Tant y a qu'en l'âge où je suis, j'ai été contraint d'apprendre les lettres grecques, lesquelles je n'avais contemné[5] comme Caton, mais je n'avais eu loisir de comprendre[6] en mon jeune âge, et volontiers me délecte à lire les *Moraux*[7] de Plutarque, les beaux *Dialogues* de Platon, les *Monuments* de Pausanias[8] et *Antiquités* d'Atheneus[9], attendant l'heure qu'il plaira à Dieu mon créateur m'appeler et commander issir[10] de cette terre.

« Par quoi[11], mon fils, je t'admoneste[12] qu'emploies ta jeunesse à bien profiter en étude et en vertus. Tu es à Paris, tu as ton précepteur Épistémon[13], dont l'un[14] par vives et vocales[15] instructions, l'autre[16] par louables exemples, te peut endoctriner. J'entends et veux que tu apprennes les langues parfaitement, premièrement la grecque, comme le veut Quintilien[17], secondement la latine, et puis l'hébraïque pour les saintes lettres, et le chaldaïque et arabique pareillement[18], et que tu formes ton style, quant à la grecque, à l'imitation de Platon, quant à la latine, à Cicéron[19], qu'il n'y ait histoire que tu ne tiennes en mémoire présente, à quoi t'aidera la cosmographie[20] de ceux qui en ont écrit. Des arts libéraux, géométrie, arithmétique et musique, je t'en donnai quelque goût quand tu étais encore petit, en l'âge de cinq à six ans ; poursuis le reste, et d'astronomie saches-en tous les canons[21]. Laisse-moi l'astrologie divinatrice et l'art de Lullius[22], comme abus et vanités. Du droit civil, je veux que tu

---

1. Fantassins irréguliers ; 2. En théologie ; 3. Prédicateur, sans nuance péjorative ; 4. Rabelais a pu connaître à Lyon les nombreuses femmes écrivains que comptait l'école lyonnaise ; 5. Méprisé. Caton l'Ancien incarne à Rome le vieil esprit latin opposé à la culture grecque. Il se mit à apprendre le grec dans son extrême vieillesse ; 6. D'étudier dans leur ensemble ; 7. Les *Œuvres morales* ; 8. Historien et érudit grec du IIe siècle après J.-C. ; les humanistes lui ont emprunté beaucoup de documents sur la géographie et la mythologie antiques ; 9. Compilateur grec du IIIe siècle après J.-C., auteur du *Banquet des Sophistes*. Contient des anecdotes utiles pour connaître le décor de la vie antique ; 10. Sortir ; 11. C'est pourquoi ; 12. Je t'engage ; 13. Nom grec : savant ; 14. A savoir : Épistémon ; 15. Orales ; 16. C'est-à-dire Paris ; 17. Quintilien (*Institution oratoire*, I, 1) recommande de commencer l'éducation des enfants par le grec ; 18. C'est-à-dire pour raison, à savoir pour l'étude de l'Écriture sainte ; 19. Remarquer l'omission systématique de la langue française ; 20. Au sens de géographie ; 21. Les règles ; 22. L'alchimie, dont s'est occupé l'Espagnol Raymond Lulle. Elle consistait surtout à rechercher la pierre philosophale, grâce à laquelle serait opérée la transmutation de tous les métaux en or.

saches par cœur les beaux textes et me les conféres[1] avec philosophie.

« Et quant à la connaissance des faits de nature, je veux que tu t'y adonnes curieusement[2] qu'il n'y ait mer, rivière ni fontaine dont tu ne connaisses les poissons; tous les oiseaux de l'air, tous les arbres, arbustes et fructices[3] des forêts, toutes les herbes de la terre, tous les métaux cachés au ventre des abîmes, les pierreries de tout Orient et Midi, rien ne te soit inconnu.

« Puis, soigneusement revisite[4] les livres des médecins grecs, arabes et latins, sans contemner[5] les talmudistes et cabalistes[6], et par fréquentes anatomies[7] acquiers-toi parfaite connaissance de l'autre monde qui est l'homme[8]. Et par[9] quelques heures du jour commence à visiter[10] les saintes lettres, premièrement en grec le *Nouveau Testament* et *Épîtres des Apôtres*, et puis en hébreu le *Vieux Testament*. Somme, que je voie un abîme de science, car dorénavant que[11] tu deviens homme et te fais grand, il te faudra issir[12] de cette tranquillité et repos d'étude et apprendre la chevalerie et les armes pour défendre ma maison et nos amis secourir en tous leurs affaires contre les assauts des malfaisants. Et veux que, de bref[13], tu essaies combien tu as profité, ce que tu ne pourras mieux faire que tenant conclusions[14] en tout savoir, publiquement, envers tous et contre tous, et hantant les gens lettrés qui sont tant à Paris comme ailleurs.

« Mais parce que, selon le sage Salomon[15], sapience[16] n'entre point en âme malivole[17], et science sans conscience n'est que ruine de l'âme, il te convient servir, aimer et craindre Dieu et en lui mettre toutes tes pensées et tout ton espoir, et par foi, formée de charité, être à lui adjoint, en sorte que jamais n'en sois désemparé[18] par péché. Aie suspects[19] les abus du monde. Ne mets ton cœur à vanité[20], car cette vie est transitoire, mais la parole de Dieu demeure

---

1. Compares; 2. Soigneusement; 3. Petits arbustes; 4. Recherche souvent; 5. Mépriser; 6. Ce sont les médecins juifs, très renommés au Moyen Age; 7. Dissections. Au temps de Rabelais, les dissections étaient rares, parce que l'on ne pouvait guère disséquer que les cadavres des suppliciés; 8. L'homme est opposé à l'univers comme un petit monde (microcosme) au grand (macrocosme); 9. Pendant; 10. Examiner; 11. Maintenant que; 12. Sortir; 13. Au plus tôt; 14. Soutenant des conclusions de thèses (comme le faisaient les candidats aux grades universitaires); 15. Dans les *Proverbes* (XIV, VI); 16. Sagesse; 17. Malveillante; 18. Séparé; 19. Tiens pour suspects; 20. A des choses vaines.

éternellement. Sois serviable à tous tes prochains[1] et les aime comme toi-même. Révère tes précepteurs, fuis les compagnies de gens esquels tu ne veux point ressembler, et, les grâces que Dieu t'a données, icelles ne reçois en vain. Et quand tu connaîtras que auras tout le savoir de par delà[2] acquis, retourne vers moi afin que je te voie et donne ma bénédiction devant que mourir.

« Mon fils, la paix et grâce de Notre Seigneur soit avec toi, *amen*. D'Utopie, ce dix-septième jour du mois de mars.

« Ton père,

« GARGANTUA. »

Ces lettres reçues et vues, Pantagruel prit nouveau courage et fut enflambé[3] à profiter plus que jamais, en sorte que, le voyant étudier et profiter, eussiez dit que tel était son esprit entre les livres comme est le feu parmi les brandes, tant il l'avait infatigable et strident[4].

CHAPITRE IX

COMMENT PANTAGRUEL TROUVA PANURGE[5] LEQUEL IL AIMA TOUTE SA VIE

Un jour Pantagruel se pormenant hors de la ville, vers l'abbaye Saint-Antoine[6], devisant et philosophant avec ses gens et aucuns[7] écoliers, rencontra un homme beau de stature et élégant en tous linéaments du corps, mais pitoyablement navré[8] en divers lieux, et tant mal en ordre qu'il semblait être échappé aux chiens ou mieux ressemblait un[9] cueilleur de pommes[10] du pays du Perche. De tant loin que le vit Pantagruel, il dit aux assistants : « Voyez-vous cet homme qui vient par le chemin du Pont-Charenton[11] ? Par ma foi, il n'est pauvre que par fortune[12], car je vous assure qu'à sa physionomie, Nature l'a produit[13] de riche et noble lignée ; mais les aventures des gens curieux[14] l'ont réduit en telle

---

1. On emploie aujourd'hui dans ce sens le singulier ; **2.** De là-bas (à Paris) ; **3.** Enflammé ; **4.** Perçant ; **5.** En grec, Panurge signifie : capable de tout, fourbe ; **6.** Couvent de cisterciennes, à l'endroit où s'élève aujourd'hui l'hôpital Saint-Antoine ; **7.** Quelques étudiants ; **8.** Blessé ; **9.** On dit également ressembler à un ou ressembler un. (Cf. aujourd'hui : il semble un ouvrier ; **10.** Cueilleur de pommes est proverbial pour dire loqueteux (aux habits déchirés par les branches) ; **11.** Aujourd'hui, rue de Charenton ; **12.** Hasard, avec jeu sur le second sens de fortune ; **13.** Fait naître ; **14.** Les aventures qui arrivent généralement aux gens curieux.

pénurie et indigence. » Et ainsi qu'il fut au droit[1] d'entre
eux, il lui demanda : « Mon ami, je vous prie qu'un peu
veuillez ici arrêter[2] et me répondre à ce que vous demanderai, et vous ne vous en repentirez point, car j'ai affection[3]
très grande de vous donner aide à[4] mon pouvoir en la calamité où je vous vois, car vous me faites grand pitié. Pourtant[5], mon ami, dites-moi, qui êtes-vous ? dont[6] venezvous ? où allez-vous ? que quérez[7]-vous, et quel est votre
nom ? »

[Panurge répond alors en allemand, puis en douze autres langues,
dont trois sont des jargons de l'invention de Rabelais.]

« Dea[8], mon ami, dit Pantagruel, ne savez-vous parler
français ?
— Si fais très bien[9], seigneur, répondit le compagnon.
Dieu merci, c'est ma langue naturelle et maternelle, car je
suis né et ai été nourri jeune au jardin de France, c'est
Touraine.
— Donc, dit Pantagruel, racontez-nous quel est votre
nom et dont vous venez : car, par ma foi, je vous ai jà pris
en amour si grand que, si vous condescendez à mon vouloir,
vous ne bougerez jamais de ma compagnie, et vous et moi
ferons un nouveau pair[10] d'amitié, telle que fut entre Énée et
Achates.
— Seigneur, dit le compagnon, mon vrai et propre nom
de baptême est Panurge, et à présent viens de Turquie où
je fus mené prisonnier lors qu'on alla à Métélin[11] en la male
heure[12], et volontiers vous raconterais mes fortunes[13], qui
sont plus merveilleuses que celles d'Ulysses ; mais, puisqu'il
vous plaît me retenir avec vous (et j'accepte volontiers
l'offre, protestant jamais ne vous laisser, et allassiez-vous[14] à
tous les diables), nous aurons, en autre temps plus commode,
assez loisir d'en raconter, car pour cette heure, j'ai nécessité
bien urgente de repaître[15] : dents aiguës, ventre vide, gorge
sèche, appétit strident[16], tout y est délibéré[17]. Si me voulez

1. Lorsqu'il fut à leur hauteur ; 2. Intransitif, au sens de s'arrêter ; 3. Désir,
envie passionnée ; 4. Selon ; 5. C'est pourquoi (pour autant, pour toutes ces
raisons-là) ; 6. D'où ; 7. Cherchez ; 8. Vraiment ; 9. Faire est employé ici
comme substitut du verbe précédemment exprimé, selon l'usage courant : Si,
je sais très bien parler français ; 10. Couple ; 11. Mytilène. Allusion à une
petite croisade qui eut lieu en 1502, et dont le résultat ne fut pas heureux.
Les Français laissèrent trente-deux prisonniers aux mains des Turcs ; 12. Malheureusement ; 13. Aventures ; 14. Même si vous alliez ; 15. *Me* repaître ;
16. Violent ; 17. Bien disposé.

mettre en œuvre, ce sera baume de me voir briber[1]; pour Dieu, donnez-y ordre. »

Lors commanda Pantagruel qu'on le menât en son logis et qu'on lui apportât force vivres. Ce que fut fait, et mangea très bien à ce soir, et s'en alla coucher en chapon[2] et dormit jusques au lendemain heure de dîner, en sorte qu'il ne fit que trois pas et un saut du lit à table.

CHAPITRES X-XIV

[Pantagruel prouve sa sagesse en rendant un jugement équitable dans le procès grotesque qui oppose les seigneurs de Baisecul et de Humevesne.]

CHAPITRE XV

[Rabelais raconte quelques exploits et joyeux propos de Panurge.]

CHAPITRE XVI

DES MŒURS ET CONDITIONS DE PANURGE

Panurge était de stature moyenne, ni trop grand, ni trop petit, et avait le nez un peu aquilin, fait à manche de rasoir, et pour lors était de l'âge de trente et cinq ans ou environ, fin à dorer comme une dague de plomb[3], bien galant homme de sa personne, sinon qu'il était sujet de nature à une maladie qu'on appelait en ce temps-là : « Faute d'argent, c'est douleur sans pareille[4] » (toutefois il avait soixante et trois manières d'en trouver toujours à son besoin, dont la plus honorable et la plus commune était par façon de larcin furtivement fait), malfaisant, pipeur[5], buveur, batteur de pavés[6], ribleur[7] s'il en était en Paris, au demeurant, le meilleur fils du monde[8], et toujours machinait quelque chose contre les sergents et contre le guet.

A l'une fois, il assemblait trois ou quatre bons rustres, les faisait boire comme Templiers sur le soir, après les

1. Manger avidement; 2. C'est-à-dire comme les poules, de bonne heure; 3. *Fin à dorer* signifie : « superlativement fin », d'après Henri Estienne, car c'est de l'or le plus fin qu'il faut se servir pour dorer. Mais l'adjonction imprévue de *comme une dague de plomb* transforme le compliment en facétie : le plomb ne supporte pas la dorure; 4. Dicton très fréquemment cité au XVe siècle (*faute* = manque); 5. Trompeur; 6. Vagabond; 7. Chapardeur; 8. Emprunté à Marot : *Épître au Roy pour avoir été dérobé* (1531).

menait au-dessous de Sainte-Geneviève ou auprès du Collège de Navarre[1] et à l'heure que le guet montait par là (ce qu'il connaissait en mettant son épée sur le pavé et l'oreille auprès, et lorsqu'il oyait[2] son épée branler, c'était signe infaillible que le guet était près), à l'heure donc, lui et ses compagnons prenaient un tombereau et lui baillaient le branle, le ruant[3] de grande force contre la vallée, et ainsi mettaient tout le pauvre guet par terre comme porcs, puis fuyaient de l'autre côté, car en moins de deux jours il sut toutes les rues, ruelles et traverses de Paris comme son *Deus det*[4].

A l'autre fois, faisait en quelque belle place, par où ledit guet devait passer, une traînée de poudre de canon, et à l'heure que passait, mettait le feu dedans, et puis prenait son passe-temps à voir la bonne grâce qu'ils avaient en fuyant, pensants que le feu saint Antoine les tînt aux jambes. [...]

Et portait ordinairement un fouet sous sa robe, duquel il fouettait sans rémission les pages qu'il trouvait portants du vin à leurs maîtres pour les avancer d'aller[5].

En son saie[6] avait plus de vingt et six petites bougettes[7] et fasques[8] toujours pleines, l'une d'un petit deau[9] de plomb et d'un petit couteau affilé comme l'aiguille d'un pelletier, dont il coupait les bourses; l'autre d'aigret[10] qu'il jetait aux yeux de ceux qu'il trouvait; l'autre de glaterons[11] empennés de petites plumes d'oisons ou de chapons qu'il jetait sur les robes et bonnets des bonnes gens, et souvent leur en faisait de belles cornes qu'ils portaient par toute la ville, aucunes fois[12] toute leur vie. [...]

En l'autre un tas de cornets tous pleins de puces et de poux qu'il empruntait des guenaux de Saint-Innocent[13], et les jetait, avec belles petites cannes[14] ou plumes dont on écrit, sur les collets des plus sucrées demoiselles qu'il trouvait, et mêmement[15] en l'église, car jamais ne se mettait au chœur au haut, mais toujours demeurait en la nef entre les femmes, tant à la messe, à vêpres, comme au sermon.

---

1. Élevé sur l'emplacement actuel de l'École polytechnique; 2. Entendait; 3. Précipitant; 4. Dieu nous donne (sa paix) : prière très courte, qui sert d'actions de grâces après le repas; 5. Pour les faire avancer plus vite; 6. Vêtement de dessus; 7. Poches; 8. Sacoches, poches; 9. Un petit dé de plomb; 10. Verjus; 11. Capitules de la bardane, qui s'attachent aux toisons et aux vêtements; 12. Quelquefois; 13. Mendiants du cimetière de Saint-Innocent; 14. Roseaux; 15. Surtout.

En l'autre, force provision de haims[1] et claveaux[2] dont il accouplait souvent les hommes et les femmes en compagnies où ils étaient serrés, et mêmement celles qui portaient robes de taffetas armoisi[3], et à l'heure qu'elles se voulaient départir[4], elles rompaient toutes leurs robes.

En l'autre, un fusil garni d'amorce, d'alumettes, de pierre à feu et tout autre appareil à ce requis. [...]

Item, en une autre il avait une petite guedoufle[5] pleine de vieille huile, et quand il trouvait ou femme ou homme qui eût quelque belle robe, il leur engraissait et gâtait tous les plus beaux endroits, sous le semblant de les toucher et dire : « Voici de bon drap, voici bon satin, bon taffetas, madame; Dieu vous donne ce que votre noble cœur désire : vous avez robe neuve, nouvel ami; Dieu vous y maintienne! » Ce disant, leur mettait la main sur le collet, ensemble la male[6] tache y demeurait perpétuellement. [...]

En l'autre, tout plein de petits gobelets dont il jouait fort artificiellement[7], car il avait les doigts faits à la main[8] comme Minerve ou Arachné[9], et avait autrefois crié le thériacle[10], et quand il changeait un teston[11] ou quelque autre pièce, le changeur eût été plus fin que maître Mouche[12] si Panurge n'eût fait évanouir à chacune fois cinq ou six grands blancs[13], visiblement, apertement[14], manifestement, sans faire lésion[15] ni blessure aucune, dont le changeur n'en eût senti que le vent[16].

CHAPITRE XVII

COMMENT PANURGE GAGNAIT LES PARDONS[17] [...]

Un jour, je trouvai Panurge quelque peu écorné[18] et taciturne et me doutai bien qu'il n'avait denare[19], dont[20] je lui dis : « Panurge, vous êtes malade à ce que je vois à votre

1. Hameçons; 2. Crochets; 3. Taffetas mince et non lustré; 4. Se séparer; 5. Flacon; 6. Et en même temps la mauvaise tache; 7. Artistement; 8. Au sens de maniable, souples; 9. Habile fileuse que Minerve, jalouse de son adresse, métamorphosa en araignée; 10. *Thériacle* (ou *thériaque*) : sorte de panacée. Le médecin ambulant qui débite cette drogue est, avec le vendeur d'orviétan, le type du charlatan; 11. Monnaie d'argent (2 francs environ) sur laquelle était gravée la tête du souverain; 12. Type populaire d'escamoteur; 13. Pièce blanche (monnaie de billon); 14. Ouvertement; 15. Sans blessure. Cf. l'expression : opérer quelqu'un *sans douleur*, pour signifier : le soulager de son argent; 16. Le vent du geste; 17. Indulgences; 18. Confus; 19. Argent; 20. A la suite de quoi.

physionomie, et j'entends le mal : vous avez un flux[1] de bourse; mais ne vous souciez; j'ai encore « six sols et maille[2] qui ne virent oncq père ni mère[3] », qui ne vous faudront, en votre nécessité[4]. » A quoi il me répondit : « Eh bien pour l'argent, je n'en aurai quelque jour que trop, car j'ai une pierre philosophale qui m'attire l'argent des bourses comme l'aimant le fer. Mais voulez-vous venir gagner les pardons ? dit-il.

— Et par ma foi, je lui réponds, je ne suis grand pardonneur[5] en ce monde ici; je ne sais si je serai en l'autre. Bien allons, au nom de Dieu pour un denier ni plus ni moins[6].

— Mais, dit-il, prêtez-moi donc un denier à l'intérêt.

— Rien, rien, dis-je. Je vous le donne de bon cœur.

— *Grates vobis, dominos*[7] », dit-il.

Ainsi allâmes, commençant à Saint-Gervais, et je gagne les pardons au premier tronc seulement, car je me contente de peu en ces matières; puis disais mes menus suffrages[8] et oraisons de sainte Brigitte. Mais il gagna à tous les troncs, et toujours baillait argent à chacun des pardonnaires. De là nous transportâmes à Notre-Dame, à Saint-Jean[9], à Saint-Antoine, et ainsi des autres églises où était banque de pardons[10]. De ma part, je n'en gagnais plus; mais lui, à tous les troncs il baisait les reliques et à chacun donnait. Bref, quand nous fûmes de retour, il me mena boire au cabaret du Château[11] et me montra dix ou douze de ses bougettes[12] pleines d'argent. A quoi je me signai[13] faisant la croix et disant : « Dont[14] avez-vous tant recouvert[15] d'argent en si peu de temps ? » A quoi il me répondit qu'il avait pris ès bassins[16] des pardons : « Car, en leur baillant le premier denier, dit-il, je le mis si souplement qu'il sembla que fut

---

1. Écoulement, perte d'argent (cf. flux de sang); **2.** Petite monnaie de billon valant un demi-denier; **3.** Réminiscence de Pathelin, v. 215 :

> Encore ai-je denier et maille
> Qu'onc ne virent pere ne mere.

Vers mal expliqué; **4.** Dans ce besoin; **5.** Jeu de mots entre *pardonneur* (qui gagne les indulgences) et *pardonneur*, qui pardonne les injures; **6.** Pour acquérir le « pardon », il faut visiter un sanctuaire déterminé. L'usage est de laisser alors quelque aumône. Des quêteurs assis à l'entrée avec un plateau reçoivent ces aumônes (ce sont les *pardonnaires*); **7.** Formule de remerciement : *grates vobis do* — avec une queue en latin macaronique *(dominos) ;* **8.** Prières courtes; **9.** Sans doute l'église de Saint-Jean-en-Grève, à côté de l'Hôtel de Ville; **10.** Comptoir. Rabelais appelle ainsi le plateau des pardonnaires; **11.** Taverne dont on ignore l'emplacement exact. C'est la *taverne du Castel* dont parle l'écolier limousin (chap. VI); **12.** Poches; **13.** Je fis le signe de la croix; **14.** D'où; **15.** Recouvré. Aux XVIe-XVIIe siècles, la confusion est habituelle entre *recouvrer* et *recouvrir ;* **16.** Dans les plateaux.

un grand blanc[1]. Ainsi d'une main je pris douze deniers, voire bien douze liards ou doubles pour le moins, et de l'autre, trois ou quatre douzains[2], et ainsi par toutes les églises où nous avons été.

— Voire, mais, dis-je, vous vous damnez comme une serpe[3] et êtes larron et sacrilège.

— Oui bien, dit-il, comme il vous semble; mais il ne me semble, quant à moi[4], car les pardonnaires me le[5] donnent quand ils me disent, en présentant les reliques à baiser : « *Centuplum accipies*[6] », que pour un denier j'en prenne cent. Car *accipies* est dit selon la manière des Hébreux qui usent du futur en lieu de l'impératif, comme vous avez en la Loi : *Diliges dominum, id est dilige*[7]. Ainsi quand le pardonnigère[8] me dit : *Centuplum accipies*, il veut dire *Centuplum accipe*[9], et ainsi l'expose rabi Kimy[10] et rabi Aben Ezra[11], et tous les massorètes[12]; et *ibi Bartolus*[13]. [...]

CHAPITRES XVIII-XXVIII

[Rabelais raconte quelques autres tours de Panurge. Puis Pantagruel quitte Paris avec Panurge et quelques amis pour aller défendre en Utopie la ville des Amaurotes, attaquée par les Dipsodes et les Géants. Dès son arrivée, il inflige une cruelle défaite au roi Anarche.]

CHAPITRE XXIX

COMMENT PANTAGRUEL DÉFIT LES TROIS CENTS GÉANTS ARMÉS DE PIERRES DE TAILLE, ET LOUP-GAROU, LEUR CAPITAINE

[...] Eux disants ces paroles, voici arriver Loupgarou, avec tous ses géants, lequel, voyant Pantagruel seul, fut épris de témérité et outrecuidance, par espoir qu'il avait d'occire

---

1. Blanc au soleil; **2.** Pièces de douze deniers. Cette filouterie est traditionnelle. Érasme la signale; **3.** Un serpent. Le serpent, dont la Vierge écrase la tête, est à jamais maudit et damné; **4.** Oui, à votre jugement; mais non au mien; **5.** Me permettent de prendre, etc... *Le* est l'antécédent de la proposition : que pour un denier, etc.; **6.** « Tu recevras le centuple », selon le verset de saint Matthieu (XIX, 29) : « Quiconque quittera sa maison..., à cause de mon nom..., recevra le centuple »; **7.** « Tu aimeras le Seigneur », c'est-à-dire : Aime; **8.** Composé burlesque : le colporteur de pardons; **9.** Les deux formules ne diffèrent que par le mode : la première est au futur, la seconde à l'impératif; **10.** Savant juif de Narbonne, auteur d'une grammaire et d'un dictionnaire hébraïques (mort en 1240); **11.** Savant rabbin espagnol, du XIIe siècle; **12.** Reviseurs de la Bible; **13.** Bartolus (XIVe siècle) est un célèbre juriste italien, surnommé « le flambeau du droit ». L'expression signifie : et Bartole sur ce sujet-là (parodie des références intempestives).

le pauvre bonhomme, dont[1] dit à ses compagnons géants :
« Gueux de plat pays[2], par Mahom[3], si aucun[4] de vous
entreprend combattre contre ceux-ci, je vous ferai mourir
cruellement. Je veux que me laissiez combattre seul ; cependant vous aurez votre passe-temps à nous regarder. » Adonc
se retirèrent tous les géants avec leur roi là auprès, où étaient
les flacons[5], et Panurge et ses compagnons avec eux, leur
dit : « Je renie bieu[6], compagnons, nous ne faisons point la
guerre. Donnez-nous à repaître avec vous, cependant que
nos maîtres s'entre-battent. » A quoi volontiers le roi et les
géants consentirent, et les firent banqueter avec eux.

Cependant Panurge leur contait les fables de Turpin[7],
les exemples de saint Nicolas[8] et le conte de la Cicogne[9].

Loupgarou donc s'adressa[10] à Pantagruel avec une masse
toute d'acier, pesante neuf mille sept cents quintaux deux
quarterons d'acier de Chalybes[11], au bout de laquelle étaient
treize pointes de diamants, dont la moindre était aussi grosse
comme la plus grande cloche de Notre-Dame de Paris[12]
(il s'en fallait par aventure l'épaisseur d'un ongle, ou au plus,
que je ne mente, d'un dos de ces couteaux qu'on appelle
coupe-oreille[13], mais pour un petit, ni avant ni arrière[14]), et
était fée[15], en manière que jamais ne pouvait rompre[16], mais
au contraire, tout ce qu'il en touchait rompait incontinent.

Ainsi donc, comme il approchait en grande fierté[17], Pantagruel, jetant les yeux au ciel, se recommanda à Dieu de bien
bon cœur, faisant vœu tel comme s'ensuit : « Seigneur Dieu,
qui toujours as été mon protecteur et mon servateur[18], tu
vois la détresse en laquelle je suis maintenant. Rien ici ne
m'amène, sinon zèle naturel, ainsi comme[19] tu as octroyé ès
humains de garder et défendre soi, leurs femmes, enfants,
pays et famille, en cas que ne serait ton négoce propre[20] qui
est la foi, car en tel affaire tu ne veux nul coadjuteur, sinon
de confession catholique et service de ta parole ; et nous as
défendu toutes armes et défenses, car tu es le tout-puissant,

1. Par suite de quoi ; 2. De campagne, avec sens péjoratif ; 3. Mahomet.
Juron des mécréants ; 4. Si l'un de vous ; 5. Les bouteilles ; 6. Dieu. Juron
atténué ; 7. Chroniques attribuées à l'archevêque compagnon de Charlemagne ;
8. Les miracles de saint Nicolas ; 9. Ce sont les *Contes de ma mère l'Oie* ; 10. Se
dirigea sur ; 11. L'acier des Chalybes était fameux dans l'Antiquité ; 12. Cette
cloche pesait 12 500 kilogrammes ; 13. Couteau très effilé, avec lequel on
coupait au xvie siècle les oreilles des malfaiteurs ; 14. Mais sans ajouter, ni sur
une face, ni sur l'autre, la plus petite épaisseur ; 15. Enchanté, charmé par les
fées ; 16. Au sens réfléchi de *se rompre* ; 17. Férocité ; 18. Sauveur, conservateur ; 19. Étant donné que ; 20. Affaire propre. Dans les cas où les intérêts
propres de Dieu, c'est-à-dire la défense de la foi, ne sont pas en jeu.

qui, en ton affaire propre, et où ta cause propre est tirée en action, te peux défendre trop[1] plus qu'on ne saurait estimer[2], toi qui as mille milliers de centaines de millions de légions d'anges, duquel le moindre[3] peut occire tous les humains, et tourner le ciel et la terre à son plaisir, comme jadis bien apparut en l'armée de Sennachérib[4]. Donc, s'il te plaît à cette heure m'être en aide, comme en toi seul est ma totale confiance et espoir, je te fais vœu que par toutes contrées tant de ce pays d'Utopie que d'ailleurs où j'aurai puissance et autorité, je ferai prêcher ton saint Évangile purement, simplement et entièrement, si que[5] les abus d'un tas de papelards[6] et faux prophètes, qui ont par constitutions[7] humaines et inventions dépravées envenimé tout le monde, seront d'entour moi exterminés. »

Alors fut ouïe une voix du ciel, disant : « *Hoc fac et vinces*[8] », c'est-à-dire : « Fais ainsi et tu auras victoire. »

Puis voyant Pantagruel que Loupgarou approchait la gueule ouverte, vint contre lui hardiment et s'écria tant qu'il put : « A mort, ribaud! à mort! » pour lui faire peur, selon la discipline des Lacédémoniens, par son horrible cri. Puis lui jeta de sa barque[9], qu'il portait à sa ceinture, plus de dix et huit caques et un minot[10] de sel, dont il lui emplit et gorge et gosier, et le nez et les yeux. De ce irrité, Loupgarou lui lança un coup de sa masse, lui voulant rompre la cervelle, mais Pantagruel fut habile et eut toujours bon pied, et bon œil. Par ce[11] démarcha[12] du pied gauche un pas en arrière, mais il ne sut si bien faire que le coup ne tombât sur la barque, laquelle rompit[13] en quatre mille octante et six pièces, et versa le reste du sel en terre.

Quoi voyant Pantagruel, galantement[14] ses bras déplie, et, comme est l'art de la hache, lui donna du gros bout de son mât en estoc, au-dessus de la mamelle, et retirant le

---

1. Beaucoup plus (sens normal de trop devant un comparatif); **2.** Penser (latinisme). Cette prière très solennelle de ton est bourrée de latinismes; **3.** Dont le moindre (*duquel* se rapporte à *millier*); **4.** Épisode biblique raconté dans les Rois (I, v, 19, 35). En une nuit, un ange du Seigneur fit périr 185 000 hommes dans l'armée de Sennachérib; **5.** Si bien que; **6.** Faux dévots; **7.** Règlements. Ce vœu s'apparente par l'esprit aux professions de foi des *Évangéliques* ; **8.** Allusion parodique à un épisode connu de la vie de l'empereur Constantin. Au cours de sa campagne contre Maxence, il eut la vision d'une croix lumineuse entourée de ces mots : « *In hoc signo vinces !* » [Par ce signe, tu vaincras!]; il fit de ces paroles la devise inscrite sur son étendard; **9.** Sorte de baril, destiné surtout à conserver les matières sèches ou en poudre; **10.** Ancienne mesure qui contenait la moitié d'une mine, 39,36 l; **11.** Aussi; **12.** Il recula; **13.** Se brisa; **14.** Vigoureusement.

coup à gauche en taillade[1], lui frappa entre col et collet.

[Loupgarou veut frapper de sa masse; mais le coup dévie et la masse s'enfonce en terre. Pantagruel brise son mât.]

Puis Pantagruel, ainsi destitué[2] de bâton[3], reprit le bout de son mât, en frappant torche lorgne[4] dessus le géant; mais il ne lui faisait mal en plus que feriez baillant[5] une chiquenaude sur une enclume de forgeron. Cependant Loupgarou tirait de terre sa masse, et l'avait jà tirée et la parait[6] pour en férir[7] Pantagruel; mais Pantagruel, qui était soudain[8] au remuement et déclinait[9] tous ses coups, jusqu'à ce qu'une fois, voyant que Loupgarou le menaçait, disant : « Méchant, à cette heure te hacherai-je comme chair à pâtés, jamais tu n'altéreras[10] les pauvres gens », Pantagruel lui frappa du pied un si grand coup contre le ventre, qu'il le jeta en arrière à jambes rebindaines[11], et vous le traînait ainsi à l'écorche-cul plus d'un trait d'arc. Et Loupgarou s'écriait, rendant le sang par la gorge : « Mahom! Mahom! Mahom! » A quelle voix se levèrent tous les géants pour le secourir. Mais Panurge leur dit : « Messieurs, n'y allez pas si m'en croyez, car notre maître est fol et frappe à tort et à travers, et ne regarde point où. Il vous donnera malencontre[12]. » Mais les géants n'en tinrent compte, voyant que Pantagruel était sans bâton[13].

Lorsque approcher les vit, Pantagruel prit Loupgarou par les deux pieds et son corps leva comme une pique en l'air, et, d'icelui armé d'enclumes[14], frappait parmi ces géants armés de pierres de taille, et les abattait comme un maçon fait de copeaux[15], que nul n'arrêtait devant lui qu'il ne ruât[16] par terre. Dont[17], à la rupture de ces harnais[18] pierreux, fut fait un si horrible tumulte qu'il me souvint quand la grosse tour de beurre, qui était à Saint-Étienne de Bourges[19],

---

1. Coupure, incision en longueur; 2. Privé de; 3. Arme, au sens général; 4. A tort et à travers; 5. En donnant; 6. Préparait; 7. Frapper; 8. Prompt; 9. Évitait; 10. On sait que Pantagruel est le démon de la soif. On a vu qu'il combat ici avec du sel, en essayant d'altérer l'adversaire; 11. Les jambes en l'air; 12. Malheur; 13. Arme; 14. Avec le corps de celui-ci (Loupgarou) qui était armé d'enclumes; 15. Au XVIe siècle, le mot a un sens général, et s'applique aussi aux éclats de pierre; 16. (Éclats) que personne n'arrêtait sans être précipité par terre; 17. Par suite; 18. Armures; 19. Ce tumulte rappelle à Rabelais un fracas du même ordre. La tour nord de la cathédrale Saint-Étienne de Bourges s'écroula le 31 décembre 1506. En fait, c'est la tour qui lui succéda qui fut baptisée *tour de beurre* (elle avait été élevée avec l'argent donné pour avoir la permission de manger du beurre en carême).

fondit au soleil. Panurge, ensemble[1] Carpalim et Eusthènes, cependant égorgetaient[2] ceux qui étaient portés par terre. Faites votre compte qu'il n'en échappa un seul, et à voir Pantagruel, semblait un faucheur qui de sa faux (c'était Loupgarou) abattait l'herbe d'un pré (c'étaient les géants), mais à cette escrime, Loupgarou perdit la tête. Ce fut quand Pantagruel en abattit un qui avait nom Riflandouille[3], qui était armé à haut appareil[4], c'était de pierres de grison[5], dont un éclat coupa la gorge tout outre à Epistémon, car autrement la plupart d'entre eux étaient armés à la légère : c'était de pierres de tuf[6], et les autres de pierre ardoisine. Finalement, voyant que tous étaient morts, jeta le corps de Loupgarou tant qu'il put contre la ville, et tomba comme une grenouille sur ventre en la plage mage[7] de ladite ville, et en tombant, du coup tua un chat brûlé, une chatte mouillée, une canepetière[8] et un oison bridé.

Chapitre XXX

[Epistémon, qui avait la tête coupée, est guéri par Panurge.]

Chapitre XXXI

COMMENT PANTAGRUEL ENTRA EN LA VILLE DES AMAUROTES, ET COMMENT PANURGE MARIA LE ROI ANARCHE ET LE FIT CRIEUR DE SAUCE VERT[9]

Après celle victoire merveilleuse, Pantagruel envoya Carpalim en la ville des Amaurotes dire et annoncer comment le roi Anarche était pris et tous leurs ennemis défaits. Laquelle nouvelle entendue, sortirent au-devant de lui tous les habitants de la ville en bon ordre et en grande pompe triomphale, avec une liesse divine, et le conduisirent en la ville, et furent faits beaux feux de joie par toute la ville, et belles tables rondes, garnies de forces vivres, dressées par

---

1. Avec; **2.** Fréquentatif du verbe *égorger ;* **3.** Dans les *Mystères*, joue le rôle de tyran ou bourreau; **4.** De toutes pièces; **5.** Grès très dur; **6.** Pierre blanche et tendre (tuffeau); **7.** La grande place; **8.** Nom vulgaire de la petite outarde. — Précision dans l'invraisemblance, procédé de comique populaire; **9.** *Vert* est la vieille forme du féminin. Sauce composée de gingembre et de verjus, verdie avec du persil et du blé vert. On la criait dans les rues.

les rues. Ce fut un renouvellement du temps de Saturne[1], tant y fut faite lors grande chère.

Mais Pantagruel, tout le Sénat ensemblé, dit : « Messieurs, cependant que le fer est chaud, il le faut battre ; pareillement, devant[2] que nous débaucher[3] davantage, je veux que nous allions prendre d'assaut tout le royaume des Dipsodes. Pourtant[4], ceux qui avec moi voudront venir, s'apprêtent à demain après boire, car lors je commencerai marcher. Non qu'il me faille gens davantage pour m'aider à le conquêter[5], car autant vaudrait que je le tinsse déjà[6] ; mais je vois que cette ville est tant pleine des habitants qu'ils ne peuvent se tourner par les rues. Donc je les mènerai comme une colonie en Dipsodie, et leur donnerai tout le pays qui est beau, salubre, fructueux[7] et plaisant sur tous[8] les pays du monde, comme plusieurs de vous savent, qui y êtes allés autrefois. Un chacun de vous qui y voudra venir soit prêt comme j'ai dit. » Ce conseil et délibération[9] fut divulgué par la ville, et au lendemain, se trouvèrent en la place devant le palais jusques au nombre de dix-huit cents cinquante et six mille et onze, sans les femmes et petits enfants[10]. Ainsi commencèrent à marcher droit en Dipsodie, en si bon ordre qu'ils ressemblaient ès enfants d'Israel, quand ils partirent d'Égypte pour passer la mer Rouge[11].

Mais, devant que poursuivre cette entreprise, je vous veux dire comment Panurge traita son prisonnier le roi Anarche. Il lui souvint de ce qu'avait raconté Épistémon, comment étaient traités les rois et riches de ce monde par les Champs-Élysées[12] et comment ils gagnaient pour lors leur vie à vils et sales métiers.

Pourtant[13], un jour, habilla son dit roi d'un beau petit pourpoint de toile, tout déchiqueté comme la cornette[14] d'un Albanais, et de belles chausses à la marinière[15], sans souliers (car, disait-il, ils lui gâteraient la vue), et un petit

---

1. L'âge d'or ; 2. Avant ; 3. Nous débander ; 4. Par conséquent ; 5. Conquérir ; 6. C'est à peu près comme si je le tenais déjà ; 7. Fertile ; 8. Plus que tous, par-dessus tous ; 9. Décision ; 10. Restriction burlesque, parodie des formules bibliques ; 11. Souvenir de l'*Exode* (XII et XIII), qui raconte la sortie d'Égypte ; 12. Au chapitre précédent, Panurge a ressuscité Épistémon, le seul des compagnons de Pantagruel qui avait trouvé la mort dans le combat. Épistémon a raconté ce qu'il avait vu pendant son court séjour aux Enfers, et notamment le sort des grands de ce monde, tous déchus ; 13. C'est pourquoi ; 14. La coiffure. Les Albanais sont un corps de cavalerie légère formé par Louis XII. Ils portaient un bonnet en cône, avec une *cornette* entortillée au bonnet ; 15. Larges et flottantes.

bonnet pers[1] avec une grande plume de chapon. Je faux[2], car il m'est avis qu'il y en avait deux, et une belle ceinture de pers et vert, disant que cette livrée lui advenait[3] bien, vu qu'il avait été *pervers*.

En tel point, l'amena devant Pantagruel, et lui dit : « Connaissez-vous ce rustre ?

— Non, certes, dit Pantagruel.

— C'est monsieur du roi de trois cuites[4]. Je le veux faire homme de bien. Ces diables de rois ici ne sont que veaux et ne savent ni ne valent rien, sinon à faire des maux ès pauvres sujets et à troubler tout le monde par guerre, pour leur inique et détestable plaisir. Je le veux mettre à métier[5] et le faire crieur de sauce vert. Or commence à crier : « Vous faut-il point de sauce vert ? » Et le pauvre diable criait : « C'est trop bas », dit Panurge, et le prit par l'oreille, disant : « Chante plus haut, en *g, sol, ré, ut*[6]. Ainsi, diable! tu as bonne gorge, tu ne fus jamais si heureux que de n'être plus roi. »

Et Pantagruel prenait à tout plaisir, car j'ose bien dire que c'était le meilleur petit bonhomme qui fût ici au bout d'un bâton. Ainsi fut Anarche bon crieur de sauce vert. Deux jours après, Panurge le maria avec une vieille lanternière, et lui-même fit les noces à[7] belles têtes de mouton, bonnes hâtilles[8] à la moutarde et beaux tribars[9] aux ails, dont il en envoya cinq sommades[10] à Pantagruel, lesquelles il mangea toutes, tant il les trouva appétissantes, et à boire belle piscantine[11] et beau cormé[12]. [...]

Pantagruel leur donna une petite loge auprès de la basse rue, et un mortier de pierre à piler la sauce, et firent en ce point leur petit ménage, et fut aussi gentil crieur de sauce vert qui fut onques vu en Utopie. Mais l'on m'a dit depuis que sa femme le bat comme plâtre, et le pauvre sot ne s'ose défendre, tant il est niais.

---

1. Bleu; 2. Fais erreur; 3. Convenait; 4. C'est-à-dire parfait. Expression tirée du vocabulaire des apothicaires, qui vendaient des sucres dits : *d'une cuite, de deux cuites et de trois cuites*. On reconnaît la formule de noblesse (Monsieur du); 5. A un métier; 6. *G, sol, ré, ut* indiquent le ton de sol dans le langage technique de la musique au XVIe siècle; 7. Avec; 8. Tranches de porc rôties; 9. Saucissons (?). Le sens ordinaire est « bâtons »; 10. Charges de bêtes de somme; 11. Piquette; 12. Boisson fermentée avec le fruit du cormier.

Chapitre XXXII

COMMENT PANTAGRUEL DE SA LANGUE COUVRIT
TOUTE UNE ARMÉE ET DE CE QUE L'AUTEUR VIT
DEDANS SA BOUCHE

Ainsi que[1] Pantagruel avec toute sa bande entrèrent ès terres des Dipsodes, tout le monde en était joyeux, et incontinent se rendirent à lui, et, de leur franc vouloir, lui apportèrent les clefs de toutes les villes où il allait, excepté les Almyrodes[2], qui voulurent tenir contre lui, et firent réponse à ses hérauts qu'ils ne se rendraient sinon à bonnes enseignes.

« Quoi! dit Pantagruel, en demandent-ils meilleures que la main au pot et le verre au poing? Allons, et qu'on me les mette à sac. » Adonc tous se mirent en ordre, comme délibérés[3] de donner l'assaut. Mais, au chemin, passant une grande campagne[4], furent saisis d'une grosse housée[5] de pluie. A quoi commencèrent se trémousser et se serrer l'un l'autre. Ce que voyant Pantagruel, leur fit dire par les capitaines que ce n'était rien, et qu'il voyait bien au-dessus des nuées que ce ne serait qu'une petite rosée, mais à toutes fins[6], qu'ils se missent en ordre et qu'il les voulait couvrir. Lors se mirent en bon ordre et bien serrés, et Pantagruel tira sa langue seulement à demi et les en couvrit comme une geline[7] fait ses poulets.

Cependant, je[8], qui vous fais ces tant véritables contes, m'étais caché dessous une feuille de bardane, qui n'était moins large que l'arche du pont de Monstrible[9]; mais quand je les vis ainsi bien couverts, je m'en allai à eux rendre[10] à l'abri, ce que je ne pus, tant ils étaient[11] : comme l'on dit au bout de l'aune faut[12] le drap. Donc, le mieux que je pus montai par dessus, et cheminai bien deux lieues sur sa langue, tant que j'entrai dedans sa bouche. Mais, ô dieux et déesses, que vis-je là? Jupiter me confonde de sa foudre trisulque[13] si j'en mens. J'y cheminais comme l'on fait en Sophie[14] à Constantinople, et y vis de grands rochers,

1. Lorsque; 2. En grec : les salés. Le nom s'apparente à celui de Dipsodes : proprement, ceux qui ont soif; 3. Résolus à; 4. Plaine; 5. Averse; 6. En tous cas; 7. Poule. Le verbe *faire* ici encore est employé pour éviter la répétition du verbe précédent; 8. Moi. Le pronom sujet peut se trouver séparé du verbe; 9. Pont fantastique, dont il est question dans le roman de Fierabras; 10. Rendre près d'eux; 11. Tellement ils étaient nombreux; 12. Manque. L'expression signifie : la mesure est comble; 13. Qui trace trois sillons; 14. La cathédrale Sainte-Sophie, devenue mosquée.

comme les monts des Danois[1] (je crois que c'étaient ses dents) et de grands prés, de grandes forêts, de fortes et grosses villes, non moins grandes que Lyon ou Poitiers.

Le premier qu'y trouvai ce fut un bonhomme qui plantait des choux. Dont[2], tout ébahi, lui demandai : « Mon ami, que fais-tu ici ?

— Je plante, dit-il, des choux.

— Et à quoi ni comment[3] ? dis-je.

— Ha ! monsieur, dit-il, [...] ne pouvons être tous riches. Je gagne ainsi ma vie, et les porte vendre au marché, en la cité qui est ici derrière[4].

— Jésus ! dis-je, il y a ici un nouveau monde ?

— Certes, dit-il, il n'est mie[5] nouveau ; mais l'on dit bien que hors d'ici, y a une terre neuve où ils ont et soleil et lune, et tout plein de belles besognes[6] ; mais celui-ci est plus ancien.

— Voire[7] mais, dis-je, mon ami, comment a nom cette ville où tu portes vendre tes choux ?

— Elle a, dit-il, nom Aspharage[8], et sont christians, gens de bien, et vous feront grand'chère[9]. »

Bref, je délibérai[10] d'y aller.

Or, en mon chemin, je trouvai un compagnon qui tendait[11] aux pigeons, auquel je demandai : « Mon ami, dont[12] vous viennent ces pigeons ici ?

— Sire[13], dit-il, ils viennent de l'autre monde. » Lors je pensai que, quand Pantagruel baillait, les pigeons à pleines volées entraient dedans sa gorge, pensants que fût[14] un colombier. Puis entrai en la ville, laquelle je trouvai belle, bien forte et en bel air ; mais, à l'entrée, les portiers me demandèrent mon bulletin[15] de quoi je fus fort ébahi et leur demandai : « Messieurs, y a-t-il ici danger de peste ?

— O seigneur, dirent-ils, l'on se meurt ici auprès tant que le chariot[16] court par les rues.

— Vrai Dieu, dis-je, et où ? » A quoi me dirent que c'était

---

1. Il n'y a pas de monts en Danemark. Peut-être jeu de mots sur *dents* ; 2. De quoi ; 3. Pourquoi et comment ? *Ni* s'emploie souvent dans le sens de *et* quand la phrase est interrogative ou négative ; 4. Épisode emprunté à l'*Histoire véritable* de Lucien (I, 30, 40). Le héros du voyage imaginaire pénètre dans la gueule d'une baleine, et y découvre un monde nouveau. Dans un jardin, un vieillard et un jeune homme travaillent ; 5. Pas ; 6. Affaires ; 7. Oui ; 8. En grec : ville du gosier ; 9. Grand accueil ; 10. Résolus ; 11. Sous-entendu « ses filets » ; 12. D'où ; 13. Était encore l'équivalent de *seigneur*, ou même de *monsieur*, dont l'emploi était beaucoup plus restreint qu'aujourd'hui ; 14. Après les verbes signifiant *croire*, *penser*, la proposition complétive est souvent au subjonctif, là où le français moderne met l'indicatif ; 15. Laissez-passer, et en même temps certificat de santé ; 16. Le chariot pour enlever les morts.

en Laryngues et Pharyngues[1], qui sont deux grosses villes telles comme Rouen et Nantes, riches et bien marchandes. Et la cause de la peste a été pour une puante et infecte exhalation qui est sortie des abîmes depuis naguère[2], dont ils sont morts plus de vingt et deux cents soixante mille et seize personnes, depuis huit jours. Lors je pense et calcule, et trouve que c'était une puante haleine qui était venue de l'estomac de Pantagruel alors qu'il mangea tant d'aillade[3] comme nous avons dit dessus.

De là partant, passai entre les rochers qui étaient ses dents et fis tant que je montai sur une, et là trouvai les plus beaux lieux du monde, beaux grands jeux de paume, belles galeries, belles prairies, force vigne et une infinité de cassines[4] à la mode italique par les champs pleins de délices, et là demeurai bien quatre mois, et ne fis onques telle chère que pour lors.

Puis descendis par les dents du derrière pour venir aux baulièvres[5]; mais en passant, je fut détroussé des[6] brigands par[7] une grande forêt qui est vers la partie des oreilles. Puis trouvai une petite bourgade à la devallée[8] (j'ai oublié son nom), où je fis encore meilleure chère que jamais, et gagnai quelque peu d'argent pour vivre. Savez-vous comment? A dormir, car l'on loue les gens à journée pour dormir, et gagnent cinq et six sols par jour; mais ceux qui ronflent bien fort gagnent bien sept sols et demi. Et contais aux sénateurs comment on m'avait détroussé par la vallée, lesquels me dirent que, pour tout vrai[9], les gens de delà[10] étaient mal vivants et brigands de nature. A quoi je connus qu'ainsi, comme nous avons les contrées de deçà et delà les monts, aussi ont-ils deçà et delà les dents. Mais il fait beaucoup meilleur deçà, et y a meilleur air.

Là commençai penser qu'il est bien vrai ce que l'on dit que la moitié du monde ne sait comment l'autre vit, vu que nul n'avait encore écrit de ce pays-là, auquel sont plus de vingt-cinq royaumes habités, sans les déserts et un gros bras de mer. Mais j'en ai composé un grand livre intitulé l'*Histoire des Gorgias*[11], car ainsi les ai-je nommés, parce

---

1. Villes du larynx et du pharynx; 2. Depuis peu; 3. Ragoût à l'ail. Cf. chap. XXXI, le récit des noces du roi vaincu, Anarche. 4. Petites maisons de plaisance; 5. Lèvres, tour intérieur de la bouche; 6. Par les; 7. Dans; 8. Descente; 9. A dire vrai; 10. Qui sont au-delà (des dents); 11. Dans le langage ordinaire, signifie : somptueux, élégant. Ici, plaisamment rapproché de gorge.

qu'ils demeurent en la gorge de mon maître Pantagruel. Finalement voulus retourner[1], et, passant par sa barbe, me jetai sur ses épaules, et de là me dévale[2] en terre, et tombe devant lui. Quand il m'aperçut, il me demanda : « Dont[3] viens-tu, Alcofribas[4] ? » Je lui réponds : « De votre gorge, monsieur.

— Et depuis quand y es-tu ? dit-il

— Depuis, dis-je, que vous alliez contre les Almyrodes.

— Il y a, dit-il, plus de six mois. Et de quoi vivais-tu ? Que buvais-tu ? » Je réponds : « Seigneur, de même vous, et des plus friands morceaux, qui passaient par votre gorge, j'en prenais le barrage[5]. [...]

— Ha ! ha ! tu es gentil compagnon, dit-il. Nous avons, avec l'aide de Dieu, conquesté[6] tout le pays des Dipsodes ; je te donne la châtellenie de Salmigondin[7].

— Grand merci, dis-je, monsieur ; vous me faites du bien plus que n'ai desservi[8] envers vous. »

Chapitre XXXIII

[Récit d'une maladie de Pantagruel.]

Chapitre XXXIV

[Rabelais promet la suite de l'histoire pour les « foires de Francfort prochainement venantes ».]

1. M'en retourner ; 2. Je descends ; 3. D'où ? 4. On sait que Rabelais se met lui-même en scène sous ce nom. Le nom complet est Alcofribas Nasier, anagramme de François Rabelais ; 5. Droit payé aux barrières ; 6. Conquis ; 7. Cette châtellenie est située en Dipsodie. Pantagruel en fera don plus loin à Panurge. Terme de cuisine : sorte de ragoût ; 8. Mérité ; eu de mérites envers...

QUESTIONS

PROLOGUE

— Comment s'accordent, dans le prologue, l'humanisme, la solennité, la bouffonnerie et le charlatanisme ?

— Comment Rabelais présente-t-il et exploite-t-il une image (Silène ; le chien) ?

— Pourquoi n'a-t-il pas adopté ici un ton grave ?

— Quelle règle pratique doit-on tirer de ces avertissements pour la lecture de Rabelais ?

GARGANTUA

CHAPITRE V (p. 23).

— Ne peut-on pas imaginer, d'après le ton et la nature de certaines facéties, la physionomie des interlocuteurs (moines, paysans, soldats, juristes) ?

— Quel est l'intérêt d'un tel chapitre ?

CHAPITRE VII (p. 26).

— Quels effets Rabelais tire-t-il de la dimension de son héros ? L'enfance de Gargantua est-elle faussée par sa qualité de géant ?

CHAPITRE XI (p. 28).

— Quel procédé Rabelais emploie-t-il pour peindre l'agitation turbulente et inconsidérée de Gargantua petit garçon ?

CHAPITRE XIV (p. 29).

— Quel sentiment bien naturel s'exprime dans les propos tenus par Grandgousier aux servantes ? Sur quel ton parle-t-il ?

— Quel reproche Rabelais fait-il à l'instruction élémentaire que reçoit Gargantua ?

CHAPITRE XV (p. 31).

— Comment est ménagé le contraste entre Eudémon et les précepteurs de Gargantua ? Quels sont, aux points de vue physique, intellectuel et moral, les traits qui justifient son nom (Eudémon = heureux) ?

CHAPITRE XVI (p. 32).

— Tout l'épisode de la jument et des mouches bovines n'est-il pas justifié par une seule phrase ? Laquelle ?

CHAPITRE XVII (p. 34).

— Cet épisode est-il destiné simplement à illustrer la force physique du jeune géant ? Quelles critiques sont lancées au passage contre les Parisiens et la Sorbonne ?

CHAPITRE XIX (p. 35).

— Par où le portrait de maître Janotus est-il une caricature (vieillesse, coq-à-l'âne, etc.) et une parodie satirique des procédés de raisonnement et de langage des théologiens ?

— Comparez cette harangue de Janotus au jugement de Bridoye (*Tiers Livre*, chap. XXXIX). N'y a-t-il pas un parallèle à faire sur la façon dont Rabelais raille la déformation professionnelle chez l'un et chez l'autre ?

— Quels griefs précis se dégagent de ce chapitre contre l'Université du Moyen Age ?

CHAPITRE XXI (p. 37).

— En comparant le chapitre XIV et le chapitre XXI, dressez le tableau de l'éducation scolastique. Rabelais n'a-t-il pas simplifié et faussé la réalité ? Où voit-on les exagérations nées de ses intentions polémiques ?

CHAPITRE XXIII (p. 40).

— Pourquoi le premier souci de Ponocrates est-il de purger son élève avec de l'ellébore ? Cherchez la signification symbolique de ce geste.

— Malgré ce symbole, ne reste-t-il pas dans le système pédagogique de Ponocrates un certain nombre de vestiges du passé ? Lesquels (rôle de la mémoire, enseignement purement oral) ?

— Par où le plan d'études dressé par Rabelais s'apparente-t-il à l'esprit de la Renaissance ?

— Comment s'y prend Rabelais pour éveiller la curiosité de son élève (les leçons de choses) ?

— A quoi voit-on que Rabelais pédagogue n'oublie point qu'il est médecin ?

— Le souci de l'hygiène et de l'équilibre suffit-il à justifier la place considérable prévue pour les sports et les exercices physiques ?

— Rabelais oublie-t-il que son élève est un géant et un fils de roi ? Ne devrait-il pas craindre le surmenage ?

— Y a-t-il des qualités que Rabelais ne songe pas à développer chez son élève (l'initiative, la sensibilité, le goût) ? Pourquoi ?

— Comparez le rôle tenu par la religion dans la vie de Gargantua, sous ses anciens et sous ses nouveaux maîtres.

— Comparez les ambitions pédagogiques de Rabelais et celles de Montaigne (*Essais*, I, XXV) : chaque système est à l'image de l'homme qui l'a conçu. Ne pourrait-on pas retrouver l'essentiel de Rabelais dans ces quelques chapitres ?

CHAPITRE XXV (p. 45).

— Montrez tous les détails qui, tirés de la géographie et des mœurs locales, font de cet épisode une scène très vivante de la vie paysanne.

— Comment Rabelais réussit-il néanmoins à faire de cette querelle de villageois le symbole de « l'incident de frontière » qui a été la cause de tant de conflits ?

CHAPITRE XXVII (p. 47).

— Analysez les différents éléments qui constituent le personnage de frère Jean (moine émancipé, joyeux luron, etc.).

— A quels détails reconnaît-on que Rabelais veut faire de ce combat une parodie d'épopée ?

— La joie de frère Jean à massacrer les ennemis est-elle en opposition avec la bonté scrupuleuse de Grandgousier et l'humanité de Rabelais ?

— Quelle leçon morale donne frère Jean ?

CHAPITRE XXVIII (p. 53).

— Étudiez en détail et analysez les propos de Grandgousier. Quels sont les différents sentiments qui se succèdent dans ses réflexions ? Comment peut-on avoir la certitude que sa détermination est ferme ?

— Montrez que Rabelais sait trouver le ton lyrique pour évoquer l'idéal d'un bonheur simple et pacifique.

CHAPITRE XXIX (p. 55).

— Étudiez la composition de cette lettre.

— Relevez les procédés de rhétorique utilisés dans cette lettre. Faut-il conclure de leur utilisation que Rabelais s'amuse à faire un pastiche de la haute éloquence ou qu'il veut réellement incliner son lecteur à la gravité ?

— En rapprochant ce chapitre et le chapitre XXVIII, faites le portrait de Grandgousier. Pourquoi Rabelais ne charge-t-il le personnage d'aucun trait caricatural ? Montrez comment il devient l'image du souverain juste et bon.

CHAPITRE XXXI (p. 56).

— Analysez en détail l'argumentation d'Ulrich Gallet ; montrez qu'il s'agit de convaincre Picrochole de son erreur, et non de l'intimider.

— Étudiez les procédés de rhétorique de cette harangue. Sont-ils de même nature que ceux qui sont utilisés par Grandgousier dans sa lettre ?

— Quels sont les principes qui doivent, selon Rabelais, régir le droit des gens ?

CHAPITRE XXXII (p. 59).

— Quelle est l'importance de la décision prise ici par Grandgousier ? Comment complète-t-elle l'image que nous nous faisions jusqu'ici de Grandgousier ?

— Comment Rabelais a-t-il caractérisé en deux répliques le

personnage de Touquedillon? Quelle est l'opinion de Rabelais sur les militaires de carrière?

CHAPITRE XXXIII (p. 61).

— Étudiez en détail la composition de la scène; montrez qu'elle est construite à la manière d'une scène de comédie. Quel est, en particulier, l'effet produit par l'intervention d'Échéphron, qui ne prend la parole qu'à la fin de la scène?

— Les éléments comiques du dialogue; remarquez notamment l'emploi des temps au cours de cette conversation entre Picrochole et ses courtisans.

— Quel est l'intérêt de la scène : au point de vue psychologique (puissance de l'illusion)? au point de vue politique et social (satire des courtisans et des flatteurs)? au point de vue moral (inanité de l'ambition)?

— Faites le portrait de Picrochole; est-ce une abstraction personnifiée?

— Étudiez la fortune de cette scène après Rabelais (Montaigne, I, LXII; Boileau, *Épître au Roi ;* La Fontaine, VII, X et VIII, IX).

— Que signifie la boutade de Pascal : « Le conseil qu'on donnait à Pyrrhus de prendre le repos qu'il allait chercher par tant de fatigues, recevait bien des difficultés »?

CHAPITRES XXXVI et XXXVII (pp. 66 et 69).

— N'avions-nous pas oublié un peu, au cours des chapitres précédents, que *Gargantua* est une histoire de géants? Pourquoi Rabelais a-t-il créé cet épisode pittoresque à cet endroit du récit?

CHAPITRE XLII (p. 70).

— S'agit-il seulement d'un épisode comique? Quelle est la moralité de cette aventure survenue à frère Jean?

CHAPITRE XLVI (p. 73).

— Quelle est la double leçon que donnent d'une part Grandgousier, d'autre part frère Jean?

CHAPITRE L (p. 75).

— Comment Rabelais conçoit-il les conditions d'une paix juste et durable?

— Pourquoi est-ce Gargantua, et non pas Grandgousier, qui prononce cette harangue?

QUESTIONS GÉNÉRALES SUR LA « GUERRE PICROCHOLINE » (chap. XXV-XXXVII).

— Étudiez dans l'ensemble la composition de ce long récit; montrez que les épisodes s'enchaînent avec vraisemblance, suivant une progression naturelle; cherchez comment Rabelais évite la monotonie.

— Relevez les allusions à des lieux, à des hommes, à des souvenirs réels.

— Comment le récit se transfigure-t-il en épopée ? Est-ce seulement par suite du caractère gigantesque de Gargantua ? Tous les personnages ne sont-ils pas débordants de vie ?

— Démêlez, sous l'affabulation épique, la pensée profonde de Rabelais : ce qu'il condamne (l'ambition militariste et ses procédés) ; ce qu'il recommande (pondération, conciliation, désintéressement...).

— Quels sont, en définitive, les fondements de la politique internationale, selon Rabelais ?

CHAPITRE LII (p. 78).
— Quel lien rattache la description de cette abbaye à la guerre picrocholine ?
— Montrez que l'abbaye de Thélème est d'abord le rêve d'un moine émancipé — et une satire de l'institution monastique.

CHAPITRE LIII-LV (pp. 80 et 82).
— Le plan architectural de l'abbaye est-il purement fantaisiste ? Ne peut-on pas démêler ici encore des emprunts à la réalité contemporaine ? (Voir l'illustration p. 83).
— Dans ce plan, Rabelais a « oublié » les cuisines et la chapelle conventuelle. Les deux oublis ont-ils la même importance ?

CHAPITRE LVII (p. 86).
— Pourquoi ce chapitre est-il un des plus importants du livre ?
— L'abbaye de Thélème est-elle susceptible d'être ouverte à tous les hommes, ou seulement à une élite ?
— Voit-on nettement ce qui orientera les Thélémites dans l'usage de leur liberté ?
— Rabelais ne laisse-t-il pas entrevoir ici certains côtés délicats de son âme et de son art (sens de l'élégance féminine ; idéal conjugal élevé, etc.) ?

PANTAGRUEL

CHAPITRE II (p. 90).
— Sur quel ton Rabelais fait-il la description de la grande sécheresse qui ravage le pays des Amaurotes ? De quel genre est la parodie ?
— Quelle intention satirique se manifeste dans l'épisode de la procession ?

CHAPITRE III (p. 92).
— Étudiez par quels procédés Rabelais a rendu comique la situation si douloureuse de Gargantua (excès d'exubérance, rôle inconsidéré du raisonnement, rapidité des revirements, égoïsme et inconscience).
— Faut-il chercher un sens profond sous ce récit (parodie de thèmes littéraires, attitude devant la mort) ?

CHAPITRE IV (p. 94).

— Les effets comiques sont-ils aussi fins et aussi humains que ceux du chapitre précédent ? Ne risquent-ils pas de devenir rapidement monotones ? Rabelais l'a-t-il senti ?

CHAPITRE VI (p. 96).

— Comment Rabelais, qui use souvent de néologismes et dont le vocabulaire est si complexe, se moque-t-il de l'écolier limousin ? Marquez la différence entre les latinismes qu'il accepte et ceux qu'il rejette.

— Comment se mêlent la plaisanterie savante et la plaisanterie populaire dans cette anecdote ?

CHAPITRE VIII (p. 99).

— Analysez en détail cette lettre de Gargantua à Pantagruel.

— Le ton est-il le même dans les considérations morales et dans les considérations historiques ?

— Montrez que la seconde partie constitue un document de premier ordre sur l'enthousiasme des humanistes.

— Comparez le plan d'études dressé ici par Gargantua aux chapitres pédagogiques du premier livre (I, XXIII-XXIV). Où y a-t-il le plus de précision ? Pourquoi ?

— Quelle est la valeur de l'éducation morale esquissée dans le dernier paragraphe ?

CHAPITRES IX-XVI-XVII (p. 104 à 108).

— Étudiez le portrait de Panurge ; quelle est la valeur comique du personnage ? sa valeur humaine ? Panurge semble-t-il très cohérent ?

CHAPITRE XXIX (p. 110).

— Quel genre d'épisode épique parodie ce chapitre ?

— Montrez que Rabelais n'a pas manqué d'utiliser les moyens traditionnels qui donnent au combat singulier tout son intérêt dramatique.

— Ce genre de récit garde-t-il pour nous autant d'intérêt que pour les lecteurs du XVIᵉ siècle ?

— Pourquoi le vœu de Pantagruel avant de combattre Loupgarou est-il très hardi du point de vue religieux ?

CHAPITRE XXXI (p. 114).

— Comparez l'expédition en Utopie et la guerre picrocholine (*Gargantua*, chap. XXV-XXXVII). Pourquoi le récit du *Pantagruel* est-il inférieur à celui de *Gargantua* (moins de vérité humaine, moins de variété, moins de signification) ?

CHAPITRE XXXII (p. 117).

— Quel parti Rabelais tire-t-il ici du gigantisme de Pantagruel ? Comment fait-il preuve d'originalité, tout en exploitant un thème conventionnel ?

TABLE DES MATIÈRES

Pages

Imp. LAROUSSE, 1 à 9, rue d'Arcueil, Montrouge (Seine).
Décembre 1936. — Dépôt légal 1937-1er. — Nº 2921. — Nº de série Editeur 2939.
IMPRIMÉ EN FRANCE (*Printed in France*). — 37.410 L-2-65.